CW00394597

阶梯汉语

STEP BY STEP CHINESE

中级听力

Intermediate Listening

3

练习册

本册主编
林凌 张念

林 凌 张 念 张 舸 邓淑兰 范妍南 邓小宁 李 丽 编著

华语教学出版社
SINOLINGUA

First Edition 2005

ISBN 7-80200-023-8

Published by Sinolingua
24 Baiwanzhuang Road, Beijing 100037, China
Tel: (86) 10-68995871
Fax: (86) 10-68326333
http://www.sinolingua.com.cn
E-mail: hyjx@ sinolingua.com.cn
Printed by Beijing Foreign Languages Printing House
Distributed by China aInternational
Book Trading Corporation
35 Chegongzhuang Xilu, P.O. Box 399
Beijing 100044, China

Printed in the People's Republic of China

编写及使用说明

本教材的教学对象是在全日制学校学过一年（约800学时）汉语的外国留学生；掌握高等学校外国留学生汉语教学大纲（长期进修）中的初级词及汉语水平考试成绩达到三级的外国人也适用。

一、编写原则

（一）体现中级听力课的课型特点

本教材是听力教材，在编写上注意与精读、阅读等课程的区别，以听力训练为主，适量口头表达为辅，体现了中级听力课的特点：

1. 控制词汇及语法点的难度，本教材生词表的制定是以《高等学校外国留学生汉语教学大纲》（长期进修）为依据，并参考《汉语水平词汇与汉字等级大纲》，词汇表中的词汇80%为中级词，每课生词量一般为20～35个，逐册递增，全套书的生词总量为1598个；语法点均为大纲的中级语法项目。
2. 在语言风格上以口语表达形式为主，注意控制书面语的比例，注重固定短语、固定格式的运用。
3. 以强化训练为原则，力求在训练听力的同时使学生掌握一定的语言知识。课文分精听与泛听两部分，生词及语法点贯穿全课，并以"词→句→段"的形式结合功能、情景对生词及语法点进行重复训练。精听部分和泛听部分的有机结合保证了生词及语法点在课文中有一定次数的重现。
4. 练习侧重于训练学生对重点词语的捕捉能力、边听边记能力、听后理解能力及听后概括表达能力。练习形式力求多样化和有针对性。

（二）语料选用的科学性和实用性

成段语料一般根据原始材料进行改写。字数在300～700字之间，严格控制词汇等级以中级为主及语法点的分布，力求内容清晰，结构合理，语言规范。

注意选用与生活密切相关、时效性较强的语料，包括历史文化、自然科学、环境保护、伦理道德、新闻等方面的内容，对中国的历史、地理、文化、习俗、生活习惯等方面有相当的反映，目的使学生在学习语言知识的同时对中国有所了解。

（三）与汉语水平考试接轨

为了提高学生的应试能力，教材注重练习形式与汉语水平考试接轨。全书共安排八个单元测试，以全真汉语水平考试听力理解模拟试题的形式出现。

二、结构安排

本教材共有课文64课，分4册，文字材料与录音磁带并用，每册16课，分两个单元，包含14个课文及两个单元测试。

教材的课本包括生词表、课文及参考答案，供教师使用和学生课后复习时使用；练习册包括生词及练习，供学生听音时使用。课文部分的语料生词、语法点词语及练习的参考答案均加色标明，含语法点的句子下划线方式标明，以方便教师备课和学生复习。具体安排如下：

（一）生词表及语法点

生词表中生词的顺序是以其在泛听语料中出现的先后排列的，只出现中级以上的词语，并以汉语、英语双语结合的形式进行注释。一般以初级词和已学中级词注释，不能用已学词汇进行解释的则以英语进行注释，注释内容一般以课文出现的义项为主。

语法点以例句形式出现，通过例句理解语法点。

（二）精听部分

精听部分主要针对课文的生词及语法点而设计，为泛听部分作准备。以“词→句→段”的形式由易到难地进行练习。包括：第一部分的听句子填空，目的是引进重点生词及语法点，该部分所设计的句子力求提供相关的信息，帮助学生理解生词及语法点，填空处可以用汉字或拼音填写；第二部分是听句子或简短对话选择正确答案，目的是对生词及语法点作进一步的理解及应用；第三部分是听成段对话选择正确答案，目的是结合情景对话对生词、语法点加深理解，该部分适当安排固定格式、固定短语、习惯用语等，使学生在更大的语境中理解生词及语法点，同时力求对学生进行语感的培养。

（三）泛听部分

泛听部分主要是针对听后理解而设计的。以“大意→细节”的形式由易到难进行练习。每课安排两段语料，每段语料后各有三个练习，包括：简单回答问题或判断句子正误，训练学生对语料基本意思的理解；选词填空、画出录音出现的词语、填表、连线等，训练学生辨听重点词语及边听边记等方面的能力，同时理解语料的具体内容；根据要求选择正确答案，对语料具体内容进一步理解。

（四）讨论题

讨论题是本教材的最后一个练习，是为训练学生听后口头表达能力而设计的。内容包括对泛听语料的理解及相关内容的讨论。

本教材对泛听语料的听音次数不作限定，教师可根据学生的水平灵活掌握。

本教材是周小兵先生主持编写的中国对外汉语教学学会华南分会对外汉语系列教材中的一部，由中山大学国际交流学院对外汉语系林凌、邓淑兰、张念、邓小宁、李丽和华南师范大学张舸、范妍南等几位教师合作编写。具体分工如下：全书的总体设计、语料生词的统定及最后审稿由林凌负责；第一册由邓淑兰负责；第二册由张舸负责；第三册由张念负责；第四册由邓淑兰负责。林凌、邓淑兰、张念、张舸、范妍南参加了全书的编写；邓小宁、李丽参加了第三、第四册的编写。全书8册，由林凌、邓淑兰、张舸、张念审校统稿。

教材在编写的过程中，得到了中山大学国际交流学院对外汉语系周小兵老师、赵新老师和华南师范大学方小燕老师的具体指导和帮助，同时中山大学国际交流学院对外汉语系张世涛、刘若云、吴门吉、李英、徐霄鹰等老师也对教材的编写提出了宝贵的意见，在此向各位表示衷心感谢。

由于水平所限，教材一定还存在着许多不足，希望各位同行批评指正。

编　者
2005年2月

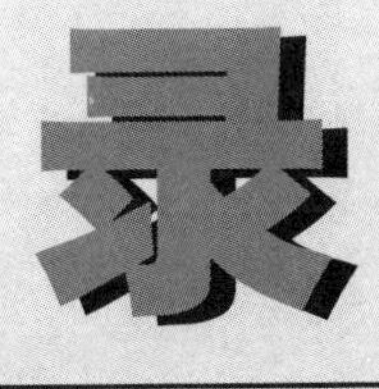

目录

CONTENT

第一课

慷慨的吝啬、用上所有的力量

生 词

1. 慷慨　kāngkǎi （形）大方；不吝啬
2. 玩具　wánjù（名）儿童玩儿的东西
3. 看起来　kànqǐlái　看上去
4. 不以为然　bùyǐwéirán　不认为是对的，表示不同意
5. 告辞　gàocí（动）（向主人）告别；告诉别人自己要离开
6. 剩余　shèngyú（动）从某个数量中减去一部分以后留下来
7. 玩意儿　wányìr（名）指东西，事物
8. 一时　yìshí（副）短时间；暂时
9. 领会　lǐnghuì（动）理解事物并有所体会
10. 傻瓜　shǎguā（名）（curse or humor）fool
11. 若　ruò（副）要是；如果
12. 沙　shā（名）sand
13. 池　chí（名、量）旁边高中间低的地方
14. 铲子　chǎnzi（名）shovel
15. 沙滩　shātān（名）sand beach
16. 巨大　jùdà（形）非常大
17. 岩石　yánshí（名）rock
18. 并　bìng（副）两件以上的事情同时进行
19. 企图　qǐtú（动）打算
20. 灰心　huīxīn（形）遇到困难或失败而失去信心
21. 发起　fāqǐ（动）to start or launch (a war, an attack etc.)
22. 冲击　chōngjī（名、动）to lash against an object
23. 进展　jìnzhǎn（名、动）（事情）向前发展
24. 拼　pīn（动）不顾一切地做某事
25. 过程　guòchéng（名）course of events, process
26. 坚定　jiāndìng（形）(of stand, opinion, will, etc.) firm

语法点

1．程度补语：差得远	要翻译汉语小说，你的水平还不行，差得远呢！
2．连词：要么	要么去游泳，要么去打球，你说吧，我听你的。

精听部分

一、听句子，填空：

1．天这么黑，＿＿＿＿＿＿要下雨了。
2．战士们向敌人发起了一次又一次的＿＿＿＿＿＿。
3．虽然他的话不多，但他的表情让我＿＿＿＿＿＿了他的意思。
4．老人手脚＿＿＿＿＿＿用，终于爬上了山顶。
5．虽然失败了，但他没有＿＿＿＿＿＿，而是继续努力，最后终于成功了。
6．我以前见过他，可是＿＿＿＿＿＿想不起他叫什么名字。
7．这个手术比较复杂，整个＿＿＿＿＿＿大概需要6个小时。
8．他用爷爷奶奶给的压岁钱买了几本小说，＿＿＿＿＿＿的钱就存进了银行。
9．父亲总是告诉我，没有＿＿＿＿＿＿的信念，就不会成功。
10．他＿＿＿＿＿＿把门推开，可是用了很大的劲儿都开不了。
11．这篇文章＿＿＿＿＿＿能再改一下儿就更好了。
12．客人＿＿＿＿＿＿的时候，主人非常热情地把他们送到楼下。
13．你真是个＿＿＿＿＿＿，他说太阳从西边出来你就相信。
14．为了赚钱给孩子上大学，他＿＿＿＿＿＿了命地工作。
15．现在电视机已经不是什么新鲜＿＿＿＿＿＿了。

二、听句子，根据要求选择正确答案：

1．A．他工作很忙，但一会儿就来
B．他工作很忙，可能不会来了
C．他工作很忙，暂时来不了
D．他工作很忙，但肯定会来

2．A．不是很有钱
B．不太聪明
C．大方
D．灰心

3．A．因为他的家在那里
B．因为海水拍打岩石的声音很好听
C．因为海边很美
D．因为夏天有时间

4．A．我没有时间
B．他很空，有时间
C．我跟他谈了一会儿，我就走了

D．我跟他谈了一会儿，他就走了

5．A．听、说最重要
B．读、写比听、说重要
C．听、说最难
D．听、说、读、写都很重要

6．A．可以选择买一个玩具
B．可以选择吃麦当劳
C．不能又买玩具又吃麦当劳
D．除了买玩具和吃麦当劳，还可以有别的选择

7．A．等有时间再去
B．特别坚定
C．工作忙也得去
D．拿不定主意

8．A．很久没回老家了
B．老家发生了巨大的变化
C．不记得回家的路了
D．老家的人搬家了

9．A．140块钱
B．120块钱
C．80块钱
D．160元

10．A．汉语不是一下子就能学好的
B．要有信心能学好汉语
C．分清楚汉语的“四”和“十”很容易
D．分清楚汉语的“四”和“十”不容易

11．A．如果不吃药，病不会好的
B．如果不吃药，病也能好
C．如果不吃药，病也可能会好
D．以上答案都不对

12．A．只有几个人看过这篇文章
B．真正读懂这篇文章的人很少
C．这篇文章很有趣
D．这篇文章真正的意思不难理解

三、听对话，选择正确答案：

1. A. 同事
   B. 父女
   C. 同学
   D. 兄弟

2. A. 玩儿沙子
   B. 玩儿石头
   C. 玩儿电脑游戏
   D. 整理院子

3. A. 玩儿电脑
   B. 睡觉
   C. 整理院子
   D. 玩儿泥沙

4. A. 没意见
   B. 不满意
   C. 很好奇
   D. 很高兴

5. A. 以前没有电脑
   B. 现在人们玩儿的东西跟以前很不一样
   C. 男的不会玩儿电脑游戏
   D. A 和 B

慷慨的吝啬

一、判断句子正误：

1．我很喜欢送东西给别人。（　　　　）

2．陈伯伯告诉我们苹果是别人送给他的。（　　　　）

3．父亲希望通过这箱苹果让我明白一个道理。（　　　　）

4．父亲的意思是：你自己不喜欢不想要的东西，就不要送给别人。（　　　　）

二、选择括号中正确的词语或短语填空：

1．父亲却认为，送自己不喜欢的东西给别人＿＿＿＿＿＿（看起来、看一看）是慷慨，其实是吝啬。对此，我不以为然。

2．我＿＿＿＿＿＿（禁不住、忍不住）大叫："扔了都没人要的东西还送给我们！？"

3．父亲说，这是他们吃不了＿＿＿＿＿＿（剩余、多余）的，扔了又觉得可惜。

4．我看着父亲，一时没＿＿＿＿＿＿（理会、领会）他的意思。

5．＿＿＿＿＿＿（要么、要是）不送，若要送，就把自己认为最舍不得的东西送给别人。

三、选择正确答案：

1．A．我常常送新衣服给别人

B．我把自己最喜欢的东西送给别人

C．我把自己不喜欢的东西送给被人

D．我给别人送了一箱苹果

2．A．吝啬

B．慷慨

C．大方

D．很聪明

3．A．同事

B．邻居

C．朋友

D．亲戚

4．A．很好

B．不好

C．不错

D．以上答案都不对

用上所有的力量

一、回答问题：

1. 发现“岩石”时，孩子正在干什么？
2. 开始孩子是怎样处理“岩石”的？
3. 后来他为什么哭了？
4. 父亲为什么说孩子没有用尽自己所有的力量？
5. “岩石”最后怎么了？

二、听录音填空：

小男孩儿在沙池的中间发现了一块__________的岩石，他__________把它从泥沙中弄出去。他一次又一次地向“岩石”__________，可是，每当他刚刚觉得取得了一些__________，岩石又掉回沙池里，但他没有__________。

三、选择正确答案：

1. A．滚过去的
   B．手脚并用，连推带滚
   C．用手推过去的
   D．请父亲抬过去的

2. A．他的力气不够
   B．他的手指伤了
   C．岩石距离沙池边很远
   D．他没有用尽他自己的力量

3. A．他一直在孩子身边
   B．他听到了孩子的哭声
   C．孩子向他求助了
   D．他一直站在窗前看着孩子

4. A．你应该请求别人的帮助
   B．你没有请求我的帮助
   C．别哭了，孩子。我来帮助你
   D．哭是不对的，孩子

讨论题：

1. 在《慷慨的吝啬》这篇文章中，父亲是怎么教育孩子的？你认为他的话有没有道理？
2. 在《用上所有的力量》这篇文章中，你觉得小男孩儿的性格怎么样？他的做法对吗？父亲教他请求帮助对吗？

第二课

留学归来的陈国红、曹玉冰与她的服装设计中心

生 词

1. 集团　jítuán（名）group, circle and bloc
2. 人力　rénlì（名）人的劳动力或人的力量
3. 感慨　gǎnkǎi（动、名）to sigh with emotion
4. 证书　zhèngshū（名）certificate
5. 销售　xiāoshòu（名、动）卖；出售
6. 因特网　yīntèwǎng（名）internet
7. 清醒　qīngxǐng（形、动）头脑清楚　sober
8. 岗位　gǎngwèi（名）post
9. 服饰　fúshì（名）dress and personal adornment
10. 设计　shèjì（名、动）design
11. 兴旺　xīngwàng（形）prosperous, flourishing, thriving
12. 交谈　jiāotán（动）通过谈话交换想法或意见
13. 理想　lǐxiǎng（名）对未来事物的希望
14. 话题　huàtí（名）谈话的中心或谈论的问题
15. 创作　chuàngzuò（名、动）创造文学艺术作品
16. 感想　gǎnxiǎng（名）由事物引起的思想活动
17. 针线活儿　zhēnxiànhuór（名）needlework
18. 窗帘　chuānglián（名）curtain
19. 功能　gōngnéng（名）作用　function
20. 遮　zhē（动）to cover up
21. 形象　xíngxiàng（名）image, form, figure
22. 收藏　shōucáng（动、名）收集保存
23. 偶然　ǒurán（副）不是经常的
24. 制作　zhìzuò（动）制造
25. 时尚　shíshàng（名、形）时髦，流行的（事物等）

专有名词

1. 陈国红　　Chén Guóhóng　人名
2. 澳利集团　　Àolì Jítuán　集团名
3. 山东　　Shāndōng　省名
4. 济南　　Jǐnán　市名
5. 曹玉冰　　Cáo Yùbīng　人名

语法点

1. 再……也……　　这辆车再怎么修也修不好了。
2. 副词：随后　　你先去，我随后就去。

精听部分

一、听句子，填空：

1. 这项工作需要九个人，我们只有三个人，__________实在不够。
2. 经过四年的刻苦学习，小王终于拿到了计算机专业的毕业__________。
3. 小王从事__________工作后，人变得活泼、爱说话了。
4. 中午睡一觉，头脑就特别__________，做事情快很多。
5. 工作__________不同，责任的大小和收入的多少都可能不一样。
6. 很多人的成功看起来是因为一些__________的机会，其实都是努力的结果。
7. 这座大桥是小张__________的，你没想到吧？
8. 饭店生意__________的时候，她常常清晨四点多钟就要上班了。
9. 我的__________是当一名医生，不过现在当老师也挺好的。
10. 现在的年轻人感兴趣的__________是买什么牌子的车，哪一个式样的手机最时髦。
11. 你在中国学习了三年，能谈谈你的__________吗？
12. 听说小李__________了很多名人的字、画，哪天咱们也去看看。
13. 李老师每年都能收到学生们亲手__________的生日卡。
14. 你现在工作了，应该注意自己的__________，别老是穿牛仔裤。
15. 我和他只__________过一两次，不算特别熟。

二、听句子，根据要求选择正确答案：

1. A. 挡风
   B. 遮太阳
   C. 防止小偷
   D. 挡雨

2. A. 他工作的地方
   B. 他的性别、年龄
   C. 他的生活习惯
   D. 他的职业和某些性格特点

3. A. 我和他谈过话
   B. 他喜欢服装设计
   C. 我早就知道他对服装设计感兴趣
   D. 我和他谈过服装设计这个话题

4. A. 老师要给我们做一个玩具
   B. 老师要我们用白纸做玩具
   C. 老师要我们在家里做玩具
   D. 老师要我们用纸和瓶子做一个玩具

5. A. 我不喜欢收集工艺品
B. 收集工艺品是一种工作
C. 现在流行收集工艺品
D. 收集工艺品很浪费时间

6. A. 理想
B. 房子
C. 孩子
D. 先生

7. A. 证书发完后，马上举行晚会
B. 一边发证书，一边看表演
C. 先举行晚会，最后发证书
D. 发证书是晚会中的一个节目

8. A. 上班的人都很忙
B. 现在饭店的生意特别好
C. 做饭需要时间
D. 现在的人很懒，不愿意做饭

9. A. 冬天卖夏天的服装
B. 夏天卖冬天的服装
C. 哪个季节卖哪个季节的服装
D. A和B

10. A. 我原来没打算听汉语课
B. 一次偶然的机会使我对汉语有了兴趣
C. 我早就知道汉语课很有意思
D. 听汉语课之前，我对汉语没有兴趣

11. A. 我现在住的房子很大
B. 我现在住的房子很漂亮
C. 我再也不想搬家了
D. 我不需要搬家

三、听对话，选择正确答案：

1. A. 会发出声音
B. 会学人讲话
C. 会模仿人的动作
D. 是今年的新产品

2．(1) A．办公室

B．市场

C．车上

D．饭店

(2) A．都喜欢玩儿电脑

B．有一个人退休了

C．都退休了

D．都没退休

(3) A．写文章

B．听音乐

C．查资料

D．看新闻

(4) A．上网聊天儿很方便，但是比打电话贵

B．通过网络发信比寄信快多了

C．上网可以了解年轻人的时尚话题

D．可以在网上买东西

(5) A．坚决

B．羡慕

C．惊讶

D．无可奈何

留学归来的陈国红

一、判断句子正误：

1. 陈国红的家乡在农村。(　　　　)
2. 陈国红是1996年在日本大学毕业的。(　　　　)
3. 回国后，陈国红当过销售经理、翻译，现在任人力资源部主管。(　　　　)
4. 陈国红认为人活着只是为了做自己喜欢的事情。(　　　　)
5. 陈国红喜欢自己现在的工作。(　　　　)

二、听录音，选择括号中正确的词语或短语填空：

经过__________（一次、一番）努力，陈国红终于拿到了日本一所大学的毕业证书。回到国内，她先在济南一家公司工作，干了几个月觉得不__________（合作、合适），__________（然后、随后）就把自己的资料__________（贴、放）到了因特网上。接下来就与澳利集团有了三次接触。2000年4月，陈国红到了澳利集团工作，后来在上海工作了一段时间，现在在__________（集团、集体）公司的__________（劳力、人力）资源部工作。

三、选择正确答案：

1. A．1996
   B．1997
   C．1998
   D．1999

2. A．母亲
   B．学校
   C．自己
   D．朋友

3. A．销售
   B．经济管理
   C．人力资源管理
   D．翻译

4. A．翻译
   B．销售
   C．主管
   D．经理

5. A.农民企业家
   B.女商人
   C.职业女性
   D.女学者

曹玉冰与她的服装设计中心

一、回答问题：

1. 曹玉冰是干什么工作的？
2. 曹玉冰小时候最喜欢做什么？
3. 曹玉冰与其他商人的最大不同表现在哪里？
4. 哪些人是曹玉冰服装作品的最主要欣赏者？

二、听录音，填空：

来到她的公司，她的办公室＿＿＿＿＿＿也不像个生意人的办公室，倒像是一个艺术家的＿＿＿＿＿＿。她认为服装有＿＿＿＿＿＿身防寒、表现个人的形象美、供人收藏的＿＿＿＿＿＿，一些艺术家＿＿＿＿＿＿接触到她设计的服装，很快就成了她的顾客，并成为她服装＿＿＿＿＿＿的最主要欣赏者。

三、选择正确答案：

1. A. 经营策略
   B. 销售情况
   C. 创作感想
   D. 服装生意

2. A. 买的
   B. 自己做的
   C. 艺术家送的
   D. 艺术画

3. A. 两种
   B. 四种
   C. 三种
   D. 五种

4. A. 曹玉冰的服装有龙凤图案
   B. 曹玉冰的服装价钱合理
   C. 曹玉冰的服装像艺术品
   D. 曹玉冰是他们的朋友

5. A. 传统、华丽、时尚
   B. 现代、时尚、经济
   C. 经济、时尚、华丽
   D. 现代、时尚、传统

讨论题：

1. 你觉得陈国红和曹玉冰两人身上有哪些共同点？
2. 根据课文的介绍，你喜欢曹玉冰设计的服装吗？

第三课

敦煌石窟、乐山大佛

生 词

1. 至今　zhìjīn（副）直到现在
2. 尊　zūn（量）measure word for Buddhist sculptures
3. 雕凿　diāozáo（动）to carve and chisel
4. 精美　jīngměi（形）exquisite, elegant
5. 石刻　shíkè（名）刻着文字、图画等的石头工艺品，或指石头上面刻的字、图画
6. 端正　duānzhèng（形）指物体不歪斜，各部分比例协调
7. 膝盖　xīgài（名）knee
8. 眉毛　méimao（名）brow
9. 横　héng（形）horizontal
10. 庄严　zhuāngyán（形）solemn, dignified, stately
11. 慈爱　cí'ài（形）年长的人对年幼的人的爱
12. 描绘　miáohuì（动）用文字或图画把人或事物表现出来
13. 神仙　shénxiān（名）supernatural being
14. 生动　shēngdòng（形）vivid, lively
15. 繁荣　fánróng（形）flourishing
16. 逝世　shìshì（动）死
17. 工程　gōngchéng（名）engineering, project
18. 中断　zhōngduàn（动）to interrupt
19. 雄伟　xióngwěi（形）形容自然景物或建筑物高大、强大的样子
20. 规模　guīmó（名）scale, scope
21. 雕塑　diāosù（名）sculpture
22. 壁画　bìhuà（名）画在墙上的画
23. 题材　tícái（名）subject matter, theme
24. 涉及　shèjí（动）to involve, to relate to
25. 宗教　zōngjiào（名）religion
26. 相比　xiāngbǐ（动）互相比较
27. 绝　jué（副）极，最
28. 学科　xuékē（名）branch of learning
29. 评价　píngjià（动）to appraise, to evaluate

专有名词

1. 乐山市　　Lèshān Shì　市名
2. 凌云山　　Língyúnshān　山名
3. 唐朝　　Tángcháo　Tang Dynasty
4. 弥勒佛　　Mílèfó　佛教菩萨　Maitreya
5. 海通和尚　　Hǎitōng héshang　a Buddhist monk
6. 敦煌莫高窟　　Dūnhuáng mògāokū　name of a cave
7. 甘肃省　　Gānsù Shěng　省名
8. 敦煌市　　Dūnhuáng Shì　市名

语法点

1. 副词：仍旧　　十年过去了，小张仍旧是老样子，既年轻又漂亮。
2. 副词：总共　　加上刚来的新同学，我们班总共有二十个人。

精听部分

一、听句子，填空：

1．__________的万里长城是中国人民的骄傲。
2．我和玛丽虽然不在同一个国家，但我们__________还保持着联系。
3．我特别喜欢中国的工艺品，所以有朋友到中国，我就会让他帮我买几件__________的工艺品。
4．在这次国际乒乓球比赛中，他得了第一名。当__________的五星红旗升起来时，他激动地哭了。
5．李大爷对孩子们总是很热情，一脸__________的样子。
6．这里的市场很__________，社会生活也比较稳定。
7．我们班__________大部分同学都参观了展览会，只有一两个同学没有去。
8．虽然是下雨天，街上的人__________和平常一样多。
9．我从1983年就开始在这里工作了，到现在__________有20年了。
10．要在三个月里把这项工作做完实在是太难了，就是__________也办不到。
11．大学毕业后，我们在不同的城市里工作，都很忙，渐渐地就__________了联系。
12．小王觉得这本小说写得很好，对它的__________可高了，你有空儿也看看吧。
13．这个问题我不愿意多谈，因为__________别人的秘密。
14．你看人家小李多成熟，__________之下你就像个不懂事的孩子。
15．__________方面的问题你最好问李教授，这方面他比较有研究。

二、听句子，根据要求选择正确答案：

1．A．警察
　B．记者
　C．销售
　D．教师

2．A．很高
　B．很差
　C．很客观
　D．好得不得了

3．A．中国文化
　B．中国历史
　C．中国法律
　D．中国经济

4. A. 他家里有一尊奇怪的佛像
   B. 他家里有一尊样子特别的佛像
   C. 他家里有一尊特别好看的佛像
   D. 他家里只有一尊佛像

5. A. 现在很漂亮，很干净
   B. 原来游客不太多，现在很多
   C. 游客一直很多
   D. 原来又新又漂亮，现在又脏又旧

6. A. 丈夫去世后，她继续坚持阅读和写作
   B. 丈夫去世后，她就没有阅读和写作了
   C. 丈夫去世后，她就只阅读不写作了
   D. 丈夫去世后，她的阅读和写作仍旧正常

7. A. 因为它是个历史问题
   B. 因为它和许多方面有关系
   C. 因为它仅仅和政治有关系
   D. 因为它和其他国家有关系

8. A. 这位父亲经常打孩子
   B. 这位父亲经常骂孩子
   C. 这位父亲对孩子们很和气
   D. 这位父亲对孩子们很严肃

9. A. 王教授不喜欢那篇文章
   B. 王教授没有看过那篇文章
   C. 王教授曾经对那篇文章做过评价
   D. 到现在都没有人知道王教授对那篇文章的看法

10. A. 历史故事
    B. 警察生活
    C. 校园生活
    D. A 和 B

三、听对话，选择正确答案：

1. A. 四个人总共只有100元
   B. 四个人的钱不够在饭店吃一顿饭
   C. 四个人的钱足够在饭店吃一顿饭了
   D. 小王是四个人中钱最多的

2. A. 用桌子堵住门
B. 有人挡住了门
C. 门没开
D. 外面的人不想进来

3. (1) A. 数学
B. 计算机
C. 雕塑艺术
D. 中国画

(2) A. 逼真
B. 雄伟
C. 生动
D. A 和 C

(3) A. 上小学时
B. 上中学时
C. 上美术学院时
D. 刚刚开始学

(4) A. 他对画画儿很感兴趣
B. 他的画儿得过奖
C. 他觉得学计算机比学画画儿更有趣儿，也更实用
D. 读了计算机专业，他仍旧喜欢画画儿

(5) A. 她不喜欢画画儿
B. 她不热情
C. 她想不出来
D. 她要准备考试

乐山大佛

一、判断句子正误：

1．乐山大佛被称为“天下第一大佛”，它也叫“凌云佛”。(　　　　)
2．乐山大佛是由整座凌云山雕刻而成的。(　　　　)
3．乐山大佛以前是佛教徒向往的地方，现在是游客们喜爱的旅游点。(　　　　)
4．在大佛的左边的岩石上还刻有许多佛教故事里的人物形象。(　　　　)
5．据史书记载，修建这座大佛总共用了90年。(　　　　)

二、选择括号中正确的词语或短语填空：

巨大的乐山大佛__________（安静、端正）地坐在江边的岩石上，头与山顶一般高，脚踩在江边，双手放在__________（膝盖、大腿）上，两眼看着前方，__________（图像、形象）自然。大佛各部分的比例和结构都十分__________（合适、合理），工艺__________（精美、精妙），是世界上最大的古代石刻佛像。

三、选择正确答案：

1．A．一条
B．两条
C．三条
D．四条

2．A．3.3米
B．7米
C．10米
D．3.7米

3．A．男性的庄严
B．女性的慈爱
C．非常严肃
D．A和B

4．A．乐山大佛很快乐
B．山上有一座佛，佛后有座山
C．山就是山，佛就是佛
D．山是一尊佛，佛是一座山

5. A. 明朝
   B. 清代
   C. 汉代
   D. 唐朝

敦煌莫高窟

一、回答问题：

1. 莫高窟在中国的什么地方？
2. 莫高窟是从什么时候开始建造的？
3. 现在莫高窟保留的石窟有多少个？
4. 莫高窟的洞窟四周都画着什么故事的画？
5. 敦煌艺术的研究形成了一个什么专门学科？

二、听录音填空：

敦煌莫高窟上下一共五层，__________很大，非常__________，是中国著名的四大石窟之一，主要是古代建筑、__________、__________三者相结合的独特的艺术遗产。参观过莫高窟的外国旅游者对莫高窟的__________很高。

三、选择正确答案：

1. A. 492 米
   B. 1600 多米
   C. 4000 米
   D. 200 米

2. A. 壁画
   B. 雕塑
   C. 佛像
   D. 古代建筑

3. A. 古代建筑
   B. 装饰图案
   C. 佛像雕塑
   D. 佛教故事画

4. A. 全世界的古代文明
   B. 中国的古代文明
   C. 佛教的发展
   D. 东方的古代文明

5．A．基督教
   B．道教
   C．伊斯兰教
   D．佛教

讨论题：

1．你到过乐山或敦煌旅游吗？如果去过，请说一说你的感想；如果没去过，请说一说你是否打算去，为什么？
2．从这两段听力材料中，你听出乐山大佛与敦煌莫高窟有什么共同的特点了吗？这些共同特点是什么？

第四课

茶叶的故乡、广州人的“饮茶”

生词

1. 产地 chǎndì（名）物品出产的地方
2. 采集 cǎijí （动）to collect, to gather
3. 种植 zhòngzhí（动）to plant, to grow
4. 传播 chuánbō （动） 大范围地宣传，把知识、经验等告诉别人
5. 实践 shíjiàn （名、动） practice
6. 积累 jīlěi（动）逐渐集中
7. 发酵 fājiào（动） to ferment
8. 配 pèi（动）按一定的标准或比例加进某种东西
9. 娱乐 yúlè（名） 使人快乐、开心的活动
10. 聚会 jùhuì （名） （人）聚集在一起搞的活动
11. 简易 jiǎnyì （形） 简单、容易的
12. 架子 jiàzi（名） stand, shelf
13. 炉子 lúzi（名） stove
14. 粥 zhōu（名） gruel (made of rice, millet, ect.)
15. 炸 zhá（动）把食物放在很热的油里弄熟
16. 油条 yóutiáo （名） 长条形油炸面食，常用做早点
17. 廉价 liánjià（形）价格便宜的
18. 泡 pào（动） to steep, to soak
19. 消除 xiāochú（动）使不存在；除去　to eliminate, to dispel
20. 美妙 měimiào（形） marvellous, wonderful
21. 准确 zhǔnquè（形） exact
22. 款式 kuǎnshì（名）式样
23. 技巧 jìqiǎo（名） skill
24. 不光 bùguāng　不仅；不单
25. 休闲 xiūxián （形） 休息、娱乐

专有名词

1. 陆羽　　Lù Yǔ　人名
2. 《茶经》　Chájīng　书名
3. 岭南　　Lǐngnán　指中国五岭以南的地区，就是今天广东、广西一带
4. 二厘馆　Èrlíguǎn　清朝时广州茶馆的总称
5. 亚洲　　Yàzhōu　Asia
6. 清朝　　Qīngcháo　the Qing Dynasty

语法点

1. 条件复句：除非……否则……　　除非你去请他，否则他不会来。
2. 副词：特意　　为了看这场足球赛，张明特意请了一天假。

精听部分

一、听句子，填空：

1. 每个周末我们几个朋友都聚在一起搞一些＿＿＿＿＿＿活动，唱歌、跳舞、看电影什么的。
2. 这列火车开出的＿＿＿＿＿＿时间是深夜12点17分。
3. 水果的＿＿＿＿＿＿不同，价格也不一样。
4. 这里的人早上喜欢喝点儿＿＿＿＿＿＿，再吃点儿点心。
5. 来我家的＿＿＿＿＿＿是他一个人，还有他的弟弟。
6. 他在中学已经当了20年老师，＿＿＿＿＿＿了丰富的教学经验。
7. 明天我们班的同学想在一起搞个＿＿＿＿＿＿，你参加不参加？
8. 你知道吗？用80度的开水＿＿＿＿＿＿茶最合适。
9. 为了编写这本关于中药的书，他＿＿＿＿＿＿了许多中药进行研究。
10. 研究证明，睡中午觉能够＿＿＿＿＿＿疲劳。
11. 由于这种新技术具有很高的经济价值，所以很快就在全国＿＿＿＿＿＿开了。
12. 这一家人一年又一年地在沙地边上＿＿＿＿＿＿树木，后来那里竟成了一片树林。
13. 这里风景优美，居民不多，气候也好，很多人喜欢来这里＿＿＿＿＿＿度假。
14. 你说这种方法好也没用，要＿＿＿＿＿＿证明这种方法确实好才行。
15. 这是小王＿＿＿＿＿＿为你做的菜，快尝尝。

二、听句子，根据要求选择正确答案：

1. A．准确，但是不流利
   B．不准确，而且也不流利
   C．不准确，但是流利
   D．既准确，又流利

2. A．写文章、说话要有内容
   B．写文章、说话需要积累
   C．写文章、说话要注意方法
   D．写文章、说话要有题材

3. A．已经洗干净了
   B．都湿了
   C．她忘了把衣服放在哪里了
   D．弄脏了

4. A．他的病好了
   B．他还想休息
   C．他不感到累了
   D．他仍旧很累

5. A. 昨天是我的生日
   B. 昨天晚上，我过生日，没有参加同学组织的聚会
   C. 我过生日，我们班同学专门组织了一个聚会
   D. 昨晚，我们班同学聚会

6. A. 衣服的质量
   B. 衣服的式样
   C. 衣服的大小
   D. 衣服的颜色

7. A. 在学校里听课听来的
   B. 从书上学的
   C. 种植过程中一点点学会的
   D. 从朋友那里收集来的

8. A. 九寨沟的神奇是不可能感受到的
   B. 你只有去了九寨沟，才能感受那里的神奇
   C. 你不用到九寨沟也能感受那里的神奇
   D. 你一定要去感受九寨沟的神奇

9. A. 只有一张床
   B. 布置很简单
   C. 没有书架和书桌
   D. A和B

10. A. 油、油条和包子
    B. 包子、稀饭和油条
    C. 炸油条
    D. 包子、稀饭和油

11. A. 很多人都知道这个湖南菜的制作方法
    B. 不只是湖南人会做这个菜
    C. 只要是湖南菜，人们很快就学会怎么做
    D. 很多人喜欢吃这个菜

12. A. 年轻人和老年人都喜欢娱乐、休闲活动
    B. 学习和坐办公室也是娱乐、休闲活动
    C. 旅游、唱歌等都是使人开心、消除疲劳的活动
    D. 谁都不会一天到晚地学习或工作

三、听对话，选择正确答案：

1. A. 在女的家里
   B. 在男的家里
   C. 在饭店
   D. 在旅游车上

2. A. 我能感觉到广州的变化
   B. 你觉得广州变了
   C. 你是不会觉得广州变了的
   D. 我能感觉广州变了，你更应该感觉到广州变了

3. A. 道路两旁的树和花很好看
   B. 经常去饭店吃饭
   C. 买东西大包小包的
   D. 喜欢旅游

4. A. 因为家里只有绿茶
   B. 因为绿茶便宜
   C. 因为女的习惯喝绿茶
   D. 因为女的很久没有喝绿茶了

5. A. 同学
   B. 朋友
   C. 姐弟
   D. 母子

茶叶的故乡

一、判断句子正误：

1. 中国是世界上最早发现并利用茶树的国家。(　　　　)
2. 最早的时候，人们采集野生茶叶用来治病。(　　　　)
3. 唐代的陆羽最早开始种茶树。(　　　　)
4. 绿茶和花茶都是不发酵茶。(　　　　)
5. 现在，全世界有40多个国家和地区种植茶叶。(　　　　)

二、选择括号中正确的词语或短语填空：

中国是茶叶的原＿＿＿＿＿＿(产品、产地)。在古代，人们最初只是＿＿＿＿＿＿(采集、收集)野生茶叶，后来逐渐学会＿＿＿＿＿＿(培植、种植)茶树。在长期的＿＿＿＿＿＿(实践、时间)中，人们对种茶、制茶和饮茶＿＿＿＿＿＿(收集、积累)了丰富的经验，出现了茶书。

三、选择正确答案：

1. A．秦代
   B．汉代
   C．唐代
   D．明代

2. A．四川
   B．云南
   C．长江附近十几个省
   D．黄河附近十几个省

3. A．不发酵茶
   B．发酵茶
   C．花茶
   D．半发酵茶

4. A．乌龙茶
   B．绿茶
   C．花茶
   D．红茶

5. A. 1500年前
   B. 300年前
   C. 40年前
   D. 20年前

广州人的“饮茶”

一、回答问题：

1. 广州人饮茶的时候除了喝茶，还吃什么？
2. 清朝时，人们饮茶的费用贵不贵？饮一次茶要花多少钱？
3. 老一辈的广州人把饮茶的地方叫什么？
4. 广州人饮茶时，是以喝茶为主还是以吃点心为主？
5. 外地朋友来了，广州人会专门请朋友做什么？

二、听录音，填空：

广州人交朋友、谈生意、____________、____________都喜欢在“饮茶”中进行。广州“饮茶”的点心究竟有多少款？____________的数字恐怕谁也说不上，但一些有名的酒家，点心的____________都在几百款以上，有的甚至上千款。而且色、香、味、形、制作____________等都非常讲究。形状各异的点心非常____________，十分逼真，就像一件艺术品，让人舍不得动筷子。

三、选择正确答案：

1. A. 因为饮茶的历史很久
   B. 因为饮茶是广东人的一大爱好
   C. 因为广东人喜欢在饮茶中进行各种社会活动
   D. B 和C

2. A. 很香的花茶
   B. 美妙的乌龙茶
   C. 各种各样的好茶
   D. 没有香味儿的粗茶

3. A. 苦而粗
   B. 味苦、除疲劳、助消化
   C. 便宜、味苦，但很香
   D. 用茶壶泡制

4. A．亲自品尝
   B．读这一篇短文
   C．到著名的酒楼
   D．会想像

5. A．是一种饮食活动
   B．是一种休闲活动
   C．是广州人唯一的爱好
   D．是一种艺术享受

讨论题：

1. 你喜欢喝什么茶？为什么？
2. 你认为广州的饮茶在哪一点上最吸引人？

第五课

给迟到一个科学的理由、我不敢迟到

生 词

1. 生物钟 shēngwùzhōng（名）biological clock, living clock
2. 周期 zhōuqī（名）cycle
3. 同步 tóngbù（形）事物发展变化的速度相同
4. 差距 chājù（名）事物之间的差别程度
5. 竞争 jìngzhēng（动、名）to compete; competition
6. 处于 chǔyú（动）在某种地位或状态
7. 恰好 qiàhǎo（副）正好
8. 累计 lěijì（动）加起来计算，一共
9. 激素 jīsù（名）hormone
10. 体温 tǐwēn（名）身体的温度
11. 因素 yīnsù（名）factor, element
12. 调节 tiáojié（动）在数量或程度上进行某些改变，使适合要求
13. 付出 fùchū（动）交出（时间、金钱等）
14. 代价 dàijià（名）为达到某种目的所付出的金钱、时间等东西
15. 职员 zhíyuán（名）单位的工作人员
16. 体面 tǐmiàn（形）dignified, honourable
17. 报酬 bàochou（动、名）使用别人的劳动而付给别人的钱或东西
18. 白领 báilǐng（名）white collar
19. 洋洋得意 yángyángdéyì 形容很满足的样子
20. 高速 gāosù（形）速度很快
21. 运转 yùnzhuǎn（动）转动；比喻单位进行工作
22. 从容 cóngróng（形）不慌不忙
23. 乐趣 lèqù（名）快乐的感觉
24. 身份 shēnfen（名）指所处的地位

专有名词

达尔文进化论　Dá'ěrwén jìnhuàlùn（名）Darwinism

语法点

1. 副词：最终	他跟我说了半天，最终我才明白他想干什么。
2. 副词：毕竟	他虽然在中国住了很多年，汉语说得也很流利，可他毕竟是个外国人，还是有很多情况不了解。
3. 让步复句：就是……也……	你就是说错了，那也没有什么关系。

精听部分

一、听句子，填空：

1. 据统计，今年上半年市民的消费与收入实现＿＿＿＿＿＿增长。
2. 两个企业＿＿＿＿＿＿，必然有胜有败。
3. 由于考虑到价格的＿＿＿＿＿＿，购买别墅的人并不多。
4. 由于天气问题，旅行团＿＿＿＿＿＿取消部分旅游项目。
5. 孩子＿＿＿＿＿＿长身体的阶段，一定要多喝牛奶。
6. 我刚到汽车站，＿＿＿＿＿＿汽车就来了。
7. 张师傅＿＿＿＿＿＿是经验丰富的老工人，五分钟就把电视机修好了。
8. 虽然心里很紧张，但他回答得还是很＿＿＿＿＿＿，看不出紧张。
9. 只有乐观的人，才能随时享受生活中的＿＿＿＿＿＿。
10. 陈老师，今天我的＿＿＿＿＿＿可不是什么市长，而是您的学生。
11. 在中国，汽车工业正在＿＿＿＿＿＿发展。
12. 卫生、方便、营养合理的快餐越来越受到都市＿＿＿＿＿＿的欢迎。
13. 你请我吃一顿饭，我就得给你找个工作，这＿＿＿＿＿＿也太大了！
14. 这学期，李老师在我们这儿上英语课＿＿＿＿＿＿有200个小时。
15. 这个班的学生＿＿＿＿＿＿很大，有的汉语水平很高，有的却水平很低，老师上课比较麻烦。

二、听句子，根据要求选择正确答案：

1. A．要准备的工作很多，最少要一二十人
   B．要准备的工作很多，需要一二十人才够
   C．要准备的工作很多，即使一二十人都不够
   D．要准备的工作很多，就现在的一二十人肯定不够

2. A．价钱
   B．环境
   C．交通
   D．A、B和C

3. A．比例很合理
   B．大约有一半是男的，有一半是女的
   C．地位很平等
   D．收入比例基本上是1比1

4. A．王明最后终于考上了北京大学
   B．王明觉得考上北京大学不难

C. 王明认为考上北京大学很难
D. 王明在北京大学读了三年书

5. A. 他们常常吵架，因为他们是父亲和儿子的关系
B. 他们常常吵架，是因为对一些事情看法不一样
C. 因为他们的关系是父亲和儿子，所以他们很快会原谅对方
D. 虽然常常吵架，但是他们的父子关系不会改变

6. A. 年龄在30岁以下
B. 年龄太大
C. 没有工作经验
D. B和C

7. A. 1月1日
B. 5月1日
C. 8月15日
D. 12月25日

8. A. 2万
B. 5万
C. 10万
D. 20万

9. A. 足球运动员平时的运动量比比赛的时候小
B. 足球运动员踢一场足球，算起来一共要跑几十公里
C. 踢一场足球，大概要跑十几公里
D. 比赛跟平时训练一样轻松

10. A. 不紧张
B. 不着急
C. 不慌张
D. 不后悔

11. A. 阿里和麦克原来是同班同学
B. 现在麦克的汉语水平比阿里高
C. 现在阿里和麦克的汉语水平不一样
D. 原来阿里和麦克的汉语水平不一样

12. A. 如果没有朋友，我就不活了
B. 朋友能让我感受到快乐
C. 即使没有朋友，我也很快乐
D. 因为有朋友，我才活着

三、听对话，回答问题：

1. A. 因为公司要加班
   B. 因为要读书
   C. 因为要锻炼身体
   D. 因为要在家里做饭

2. A. 身体好比有技术、有知识更重要
   B. 有技术、有知识比身体好更重要
   C. 身体好跟有技术、有知识一样重要
   D. 以上答案都不对

3. A. 很高兴
   B. 无可奈何
   C. 很伤心
   D. 很奇怪

4. A. 希望女的跟他开玩笑
   B. 希望女的不要太认真
   C. 希望女的认真
   D. 希望女的不要跟他开玩笑

5. A. 同事
   B. 同学
   C. 夫妻
   D. 兄妹

给迟到一个科学的理由

一、将数据填在表格中：

一天的时间	人类的生物钟	动物的生物钟	植物的生物钟

二、判断句子正误：

1. 人类的生物钟与一天24小时的时间周期正好同步。(　　　　)
2. 动物和植物的生物钟周期不一样。(　　　　)
3. 在生存竞争中处于有利地位的生物，其生物钟周期恰好是24小时。(　　　　)
4. 如果我们每天都晚一点儿睡觉，那么我们醒来的时间就会一天比一天晚。(　　　　)
5. 上班迟到是有科学的理由的。(　　　　)

三、选择正确答案：

1. A. 人类生物钟更接近一天24小时的时间周期
   B. 动物的生物钟更接近一天24小时的时间周期
   C. 植物的生物钟更接近一天24小时的时间周期
   D. B和C

2. A. 生物钟周期接近24小时的生物
   B. 那些生物钟周期与24小时有明显差距的生物
   C. 生物钟周期不会恰好是24小时的生物
   D. A和C

3. A. 竞争
   B. 工作
   C. 光线
   D. 休息

4. A. 这种调节不付出代价是不行的
   B. 这种调节到底是要付出代价的
   C. 这种调节非付出代价不可
   D. 这种调节可能是需要付出代价的

我不敢迟到

一、回答问题：

1. 都市白领工作累不累？
2. “我”每天几点起床？
3. “我”做梦都在想什么？
4. “我”为什么不敢迟到？

二、听录音，填空：

我是一家公司的__________，每月的__________不低。我知道既要有固定的收入，又要有__________的__________和社会地位，就非得努力不可，所以，我每天早上7点起床，一天工作8小时，周末还加班。看见别人__________地睡懒觉，逛街，我就只好从每月的工资数上寻找生活的__________。

三、选择正确答案：

1. A. 一家跨国公司的职员
   B. 一个感觉很累的人
   C. 一个收入不错的工作人员
   D. 一个穿着名牌服装上班的人

2. A. 骑自行车或打的
   B. 坐交通车或打的
   C. 走路
   D. 自己开车

3. A. 你是白领吗？
   B. 你是白领
   C. 你不是白领
   D. 谁说你是白领

4. A. 即使想停也停不下来
   B. 不想停就停下来了
   C. 不要去想停不停下来
   D. 停不下来的话，想也没用

5. A. 工资少一点儿
   B. 没有什么变化
   C. 老板的脸色难看点儿
   D. A和C

讨论题：

1．如果你迟到了，你会给自己一个什么样的解释？

2．你觉得工作是一种乐趣吗？学习呢？

第六课

你欠多少“睡眠债”、中国人的睡眠数据

生词

1. 睡眠 shuìmián（名）sleep
2. 债 zhài（名）欠别人的钱
3. 体力 tǐlì（名）physical (or bodily) strength
4. 思维 sīwéi（名）thought, thinking
5. 精力 jīnglì（名）精神和体力
6. 充沛 chōngpèi（形）充足
7. 大脑 dànǎo（名）cerebrum
8. 疲倦 píjuàn（形）很累，很困的样子
9. 比方 bǐfang（名、动）比如
10. 如同 rútóng（动）好像
11. 测试 cèshì（动、名）to test
12. 彻底 chèdǐ（形）一直到底；完全
13. 肌肉 jīròu（名）muscle
14. 放松 fàngsōng（形、动）relaxed
15. 垂 chuí（动）东西的一头向下
16. 金属 jīnshǔ（名）metal
17. 地板 dìbǎn（名）房间地面上的木板；地面
18. 当啷 dānglāng（象声词）金属类的东西碰撞的声音
19. 数据 shùjù（名）data
20. 显示 xiǎnshì（动）明显地表现
21. 生物学 shēngwùxué（名）biology
22. 幅度 fúdù（名）比喻事物变化的大小
23. 衰退 shuāituì（动）（身体、精神、意志、能力等）慢慢变弱
24. 学历 xuélì（名）学习的经历
25. 硕士 shuòshì（名）master degree
26. 博士 bóshì（名）doctor
27. 学位 xuéwèi（名）degree

专有名词

上海睡眠中心　Shànghǎi Shuìmián Zhōngxīn　Shanghai Sleeping Center

语法点

1. 副词：反复　　这篇文章要反复读才能理解。
2. 副词：偶尔　　小王很喜欢喝茶，不过偶尔也喝点儿咖啡。

精听部分

一、听句子，填空：

1. 一般来说，＿＿＿＿＿＿好的人身体好。
2. 现在年轻人流行欠＿＿＿＿＿＿过日子，比如说向银行借钱买房子、买汽车。
3. 她每天的工作已经够多的了，很难有＿＿＿＿＿＿再学什么东西。
4. 彼德今天上课的样子很＿＿＿＿＿＿，我想他昨天晚上一定没有休息好。
5. 这位老人很像我父亲，看见他＿＿＿＿＿＿见到了我日夜思念的父亲。
6. 产品在出厂前都要进行严格＿＿＿＿＿＿，不合格的产品不能出厂。
7. 昨天打扫卫生打扫得很＿＿＿＿＿＿，现在我的宿舍非常干净。
8. 周末我喜欢把工作放下，＿＿＿＿＿＿一下自己，要么打打球，要么散散步。
9. 小王＿＿＿＿＿＿会写点儿文章在杂志发表，昨天我就看到一篇，写得挺好的。
10. 他们几年的调查＿＿＿＿＿＿表明，这个城市的年平均温度比10年前有所上升。
11. 调查＿＿＿＿＿＿，越来越多的年轻人喜欢旅行结婚。
12. 家用电器的价格比起20年以前已经大＿＿＿＿＿＿下降了。
13. 经过三年的努力学习，去年他研究生毕业了，并获得了文学＿＿＿＿＿＿。
14. 人年纪越大，＿＿＿＿＿＿就越差。

二、听句子，根据要求选择正确答案：

1. A. 他很聪明
   B. 这个广告每天广播很多次
   C. 这个广告的广告词很简单
   D. 他每天要背好多次广告词

2. A. 开心
   B. 辛苦
   C. 很累
   D. 轻松

3. A. 很好
   B. 跟从前一样好
   C. 不如从前
   D. 比从前好

4. A. 15万
   B. 7万
   C. 8万
   D. 22万

5. A. 部分
   B. 完全
   C. 逐步
   D. 有效

6. A. 现在博士不好找工作
   B. 现在高学历的人比较好找工作
   C. 博士找工作不会很难
   D. 我现在不是博士

7. A. 睡眠的好坏跟身高有关系
   B. 睡眠好的孩子长得比较高
   C. 睡眠差的孩子长得比较矮
   D. 孩子每天应该睡10个小时

8. A. 他的精神和体力好像20多岁的小青年
   B. 他长得像20多岁的小青年
   C. 同20多岁的小青年一起工作不觉得疲倦
   D. B和C

9. A. 九寨沟、桂林都是有水的风景点
   B. 我不经常爬山
   C. 现在我觉得爬山更有意思
   D. 有时我觉得爬山也很有意思

10. A. 明天比今天冷很多
    B. 明天比今天热很多
    C. 明天的气温跟今天差不多
    D. 以上答案都不对

11. A. 睡眠好，工作效果就好
    B. 睡眠好，工作时间就长
    C. 睡眠的好坏会影响工作
    D. 睡眠与工作没有关系

12. A. 工作紧张就不应该放松自己
    B. 工作紧张更应该注意休息
    C. 要工作就不要看电影
    D. A和C

三、听对话，选择正确答案：

1. A. 因为在反复想一个问题
   B. 因为睡觉睡得比较少
   C. 因为工作很忙
   D. 因为身体不太舒服

2. A. 思维会特别活跃
   B. 自己不会有什么感觉
   C. 会搞坏身体
   D. 精神会不集中

3. A. 女的已经获得博士学位
   B. 女的正在读博士
   C. 女的正准备考博士
   D. 以上答案都不对

4. A. 我想知道谁写文章不开夜车
   B. 任何人写文章都要开夜车
   C. 没想到写文章还要开夜车
   D. 写文章要开夜车吗？

5. A. 老师和学生
   B. 兄妹
   C. 父女
   D. 男朋友和女朋友

6. A. 男的又来看女的了
   B. 女的又来看男的了
   C. 男的又重复以前说过的话
   D. 女的又重复以前说过的话

你欠多少“睡眠债”

一、判断句子正误：

1．由于生活水平的提高，我们的睡眠时间在本世纪增加了20%。（　　　　）
2．晚上少睡一个小时，第二天就很容易疲倦。（　　　　）
3．如果你想知道自己过去一天的睡眠时间是不是充足，有办法可以进行测试。（　　　　）
4．如果一个人晚上睡觉时，一躺下就睡着了，说明他严重缺乏睡眠。（　　　　）
5．一个人白天睡觉，需要半个小时才能睡着，说明他只是偶尔缺乏睡眠。（　　　　）

二、听录音，用汉字或汉语拼音填空：

躺在床上，__________地让自己全身__________，将手垂在床外，手里握一把__________做的勺子，在__________上放一只盘子，然后让自己睡着。当你完全进入睡眠状态时，勺子就会“__________”一声落在盘上。此时你会被吵醒，请你记录好躺下到醒来这一过程所用的时间，并在同一天里__________测试五次以上，最后算出所需时间的平均数。

三、根据要求选择正确答案：

1．A．体力和思维能力
　B．胃口
　C．情绪
　D．A和C

2．A．缺少睡眠
　B．一组数据
　C．对缺少睡眠时间的数字统计
　D．欠别人的睡眠时间

3．A．很疲倦
　B．精力充沛
　C．好像一夜没睡
　D．很想睡觉

4．A．进行多次测试，至少进行五次以上的测试
　B．在一天内进行测试
　C．算出多次测试结果的平均数
　D．A、B和C

5. A. 在5分钟内就能睡着的人最缺乏睡眠
B. 在10分钟内就能睡着的人最缺乏睡眠
C. 在15分钟内就能睡着的人最缺乏睡眠
D. 在20分钟内就能睡着的人最缺乏睡眠

中国人的睡眠数据

一、将数据填在表格中：

项　　目	平均睡眠时间
女性	
男性	
20～24岁	
50～54岁	
小学教育程度以下	
硕士或博士	

二、根据内容判断下列句子的正误：

1. 世界各国的女性睡眠时间都要比男性长。(　　　　)
2. 睡眠时间的长短和人的寿命没有关系。(　　　　)
3. 人随着年龄的增大睡眠时间逐渐减少，所以老人睡眠时间最少。(　　　　)
4. 学历越高才会有更多的工作机会。(　　　　)
5. 研究人员、管理人员和企事业单位领导的睡眠时间较长，是因为他们的上班时间比较自由。(　　　　)

三、根据要求选择正确答案：

1. A. 受教育程度
B. 职业
C. 地理位置
D. 性别

2. A. 女性受教育程度比男性低
B. 女性的睡眠时间比男性的长 。
C. 女性的工作比较轻松
D. B和C

3. A. 高中生
B. 大学生

C．硕士生
D．博士生

4．A．职业不同，工作时间的要求不同
B．职业不同，工作方式的要求不同
C．职业不同，工作量的要求不同
D．A和C

5．A．管理人员
B．学生和研究人员
C．无业下岗人员、体力劳动者
D．企事业单位的领导

讨论题：

1．有人说睡觉就是浪费时间，你同意这个观点吗？
2．提高睡眠质量，你有什么好的建议？

第七课

拐弯处的发现、小青蛙的启示

生 词

1. 拐弯　guǎiwān（名、动）行走的时候改变方向
2. 行驶　xíngshǐ（动）（车、船）行走
3. 寂静　jìjìng（形）没有声音，很安静
4. 沙漠　shāmò（名）desert
5. 无聊　wúliáo（形）没有事情做，觉得心情不好
6. 心事　xīnshì（名）心里想着的比较难办的事情
7. 简陋　jiǎnlòu（形）设施简单，不齐全
8. 缓缓　huǎnhuǎn（副）慢慢地
9. 车厢　chēxiāng（名）火车、汽车等用来装人或装东西的部分
10. 旅途　lǚtú（名）旅行的路上
11. 议论　yìlùn（动、名）对人或事物的好和坏、对和不对等表示意见
12. 起劲　qǐjìn（形）（工作、游戏等）情绪高
13. 目光　mùguāng（名）sight, vision
14. 设想　shèxiǎng（动、名）to suppose; supposition
15. 推销　tuīxiāo（动）to promote sales (of goods)
16. 看中　kànzhòng　经过观察，感觉满意、合适
17. 支付　zhīfù（动）给（钱）
18. 青蛙　qīngwā（名）frog
19. 启示　qǐshì（动、名）通过某件事情得出的教训或经验
20. 溜　liū（动）偷偷地走
21. 罐子　guànzi（名）pot, jar
22. 缓慢　huǎnmàn（形）不迅速，慢
23. 倒霉　dǎoméi（形）碰到不顺利的事情
24. 搅动　jiǎodòng　to stir
25. 脱离　tuōlí（动）离开（某种环境或情况）
26. 面对　miànduì（动）to face, to confront
27. 摆脱　bǎituō（动）脱离（某种不好的情况）
28. 艰难　jiānnán（形）非常困难
29. 现状　xiànzhuàng（名）present (or current) situation

语法点

1．副词：轻易	我想他不会轻易答应你的请求的。
2．程度补语：形容词＋得＋慌	一个上午呆在家里没事干，觉得闷得慌。

精听部分

一、听句子，填空：

1．前面__________的地方有一个书店。
2．整个上午没事干，我觉得特别__________。
3．妹妹今天很不高兴，好像有什么__________似的，可能考试没考好吧。
4．火车__________地开进了车站，站台上有很多旅客等着上车。
5．火车的餐厅都设在列车的中部，一般是10号__________。
6．你对他有意见应该当面对他说，在背后__________别人的习惯不好。
7．这只是我的一个__________，不一定符合实际。
8．想办法把我们的产品__________到农村去。
9．好不容易__________了一套衣服款式，却没有我喜欢的颜色。
10．为了让孩子读大学，他每年得__________1万元的费用。
11．这件事给我的__________就是做事一定要认真、负责。
12．这位老人的行动十分__________。
13．真__________，今天听写第八课，我复习了第七课，这次听写的成绩肯定不好。
14．要__________那么多人讲话，我真有点儿紧张。
15．如果那么__________就放弃了，以后你会后悔的。

二、听句子，根据要求选择答案：

1．A．汽车拐弯要慢行
B．拐弯的时候，车开得快，容易出交通事故
C．拐弯的时候，车开得慢，容易出交通事故
D．拐弯的时候，要特别注意开慢点儿

2．A．坐火车一点儿都不累
B．旅客很兴奋
C．列车还没有停下来
D．车厢里的人想知道接车的人在哪里

3．A．第一次考试，心里特别紧张
B．因为没复习好，所以心里特别紧张
C．上次考试失败直接影响这次考试的情绪
D．上次没考上，这次一定能考上

4．A．这件事情已经发生了
B．我们可以从这件事情得到某些经验或教训

C. 自己不能做到的事情，不要随便答应别人
D. 自己不能做到的事情，也要答应别人

5. A. 考虑在哪里继续学习汉语
B. 希望去北京学习汉语
C. 希望在广州学习汉语
D. 在广州学习汉语和在北京一样

6. A. 孩子们正在教室里做作业
B. 一只青蛙突然出现在教室里
C. 一个孩子突然从书包里拿出一只青蛙
D. 青蛙的跳动吸引了孩子们的眼光

7. A. 我买了这件衣服
B. 我喜欢这件衣服
C. 我不喜欢这件衣服
D. 这件衣服不好看

8. A. 这几天大家就要去旅行了
B. 大家在谈论假期旅游的事儿
C. 大家决定假期去旅游
D. A 和 C

9. A. 放假时学校很热闹
B. 放假时学校很寂静
C. 现在学生还没回学校
D. 学校正在放假

10. A. 记性不好
B. 很幸运
C. 很快乐
D. 很倒霉

11. A. 喜欢聊天儿的人会在背后谈论别人
B. 没事干的人才会在背后谈论别人
C. 因为不知道，所以在背后向别人打听
D. 有事情应该小声说

12. A. 你们公司要给我们 10 万元
B. 10 万元是我们要支付的设计费
C. 预付设计费是我们公司的规定
D. A、B和C

三、听对话，选择正确答案：

1. A. 女的自己开了一个餐厅
   B. 很久没有见面了
   C. 祝贺男的找到满意的工作
   D. 祝愿男的重新找一份更合适的工作

2. A. 急得慌
   B. 做事不顺利
   C. 特别笨
   D. 艰难

3. A. 觉得更适合自己
   B. 能挣更多的钱
   C. 工作有挑战性
   D. 不辛苦，日子好过

4. A. 销售
   B. 教师
   C. 秘书
   D. 记者

5. A. 没有准备就当了销售冠军
   B. 可能年底你是销售冠军
   C. 一定是销售冠军
   D. 没有当销售冠军的准备

拐弯处的发现

一、回答问题：

1. 火车在什么地方放慢了行驶的速度？
2. 旅途中特别的风景是什么？
3. “广告墙”是什么？
4. 谁支付了18万元的租金？
5. 年轻人成功的秘密是什么？

二、判断句子正误：

1. 年轻人乘火车到外地旅游。(　　　　)
2. 关于房子的一些情况，年轻人专门进行了了解。(　　　　)
3. 年轻人用3万元买下了那座平房。(　　　　)
4. 年轻人把房子租给了一个广告公司。(　　　　)

三、选择正确答案：

1. A. 无聊地望着窗外
   B. 想心事
   C. 看报纸、杂志
   D. 议论房子

2. A. 沙漠
   B. 山和水
   C. 平房
   D. A和C

3. A. 平房很漂亮
   B. 想用平房做广告
   C. 平房很便宜
   D. 平房离沙漠很近

4. A. 没有人愿意买平房
   B. 火车每天都要从平房门前经过
   C. 想卖掉平房
   D. 平房靠近火车站

小青蛙的启示

一、回答问题：

1．青蛙们到哪里玩儿？
2．两只小青蛙不小心掉进了哪里？
3．什么东西在青蛙的搅动下变硬了？
4．哪只青蛙先脱离危险？
5．我喜欢哪只青蛙？

二、判断句子正误：

1．在罐子里，大青蛙和小青蛙都拼命地坚持游动。(　　　　)
2．大青蛙让小青蛙踩在自己的身上，先跳出油罐。(　　　　)
3．大青蛙受小青蛙的鼓舞，最终也脱离了危险。(　　　　)
4．当我遇到困难时，我就会想起《小青蛙的启示》这个故事。(　　　　)

三、选择正确答案：

1．A．到处是水，可以游来游去
　B．到处是油，滑极了
　C．罐子很深，怎么爬也爬不出去
　D．罐子里有很多好吃的

2．A．觉得很好玩儿
　B．爬不出去，不游了
　C．小青蛙一定会帮助自己脱离危险的
　D．以上答案都不对

3．A．还有一口气就得游下去
　B．爬不出去会没命的
　C．真倒霉
　D．今天真不应该出来玩儿

4．A．农民把它从罐子里拿出来
　B．小青蛙和它一起跳出来
　C．小青蛙把它拉出来
　D．自己跳出来

5．A．任何时候都不要轻易放弃
　B．应该远离危险的环境
　C．只要耐心等待，就一定会有希望
　D．困难的时候，朋友的鼓励很重要

讨论题：

1．“发现就是成功之门”，你是如何理解这句话的？

2．在生活中，我们应该如何面对困难？

第八课

单元测试（一）

第一部分

1. A：地震很快就会过去
   B：地震的时间不长
   C：灾难暂时还会存在
   D：灾难很快就会过去

2. A：恋爱和时尚
   B：时尚和设计
   C：娱乐和因特网
   D：A和C

3. A：我和他谈过话，讨论过一些问题
   B：关于宗教，他知道很多
   C：他喜欢别人问他宗教的问题
   D：我和他讨论过宗教问题

4. A：我要先说
   B：我要先走
   C：我吃饱了
   D：我迟到了

5. A：刚到一个不熟悉的地方会不习惯
   B：从不习惯到习惯需要一段时间
   C：到一个陌生的地方马上就能适应
   D：刚到一个陌生的地方不适应，很正常

6. A：不同的工作，上班时间不一样
   B：工作不同，要求不一样
   C：工作不同，收入不一样
   D：不同的工作，休息时间不一样

7. A：你不用紧张，有很多工作机会
   B：这个工作肯定是你的
   C：这个工作没什么人想干
   D：你应该明白，这个工作有很多人想干

8. A：我已经30年没喝过粥了
   B：到现在他还记得我喜欢喝什么
   C：我们不想分开
   D：我们还记得30年前的事情

9. A：小说写的是农村生活
   B：小说中描写白领的生活像真的一样
   C：小说描写的是城市生活
   D：B和C

10. A．这座饭店设计非常好
    B．你会建筑设计
    C．请你对饭店设计提提意见
    D．你有能力评价饭店的设计

11. A．研究语言问题会用到心理学的知识
    B．研究语言问题会用到统计学的知识
    C．研究语言问题会和很多学科的知识有联系
    D．研究语言问题只和心理学和统计学有联系

12. A．离婚是他一时的决定
    B．他最后决定离婚
    C．离不离婚，他想了很久
    D．B和C

13. A．你去，我就去
    B．你去，我就不去
    C．我不去，你也不能去
    D．我不去，你自己去

14. A．可以选择去桂林
    B．可以选择去上海
    C．桂林和上海只能选择其中的一个
    D．除了桂林和上海，还可以选择别的地方

15. A. 我对这个工作不感兴趣
    B. 我肯定不会干这个工作
    C. 你给我的钱太多了
    D. A 和 B

第二部分

16. A. 女的很自信
    B. 女的很灰心
    C. 女的很高兴
    D. 女的很从容

17. A. 五个人完成没有困难
    B. 任务需要月底完成
    C. 五个人太少了
    D. 五个人不能按时完成任务

18. A. 他很想了解小王的情况
    B. 他和小王是很好的朋友
    C. 直到现在他都没有收到小王的信
    D. A和C

19. A. 丈夫很喜欢学习
    B. 丈夫不干家务
    C. 丈夫回家不是看电视，就是看报纸
    D. 丈夫一点儿活儿都不干

20. A：可以参加聚会
    B：可以不去北京学习
    C：同学聚会的时候他刚好得去北京学习
    D：既可以参加聚会，又可以去北京学习

21. A. 小刘的工资太低
    B. 小刘的形象不好
    C. 小刘的学历太低
    D. 小刘的单位不好

22. A. 儿子学习很紧张
    B. 儿子不喜欢在家里学习
    C. 考大学不是一件容易的事情
    D. 儿子准备考大学

23. A．市长的社会地位很高
    B．和市长谈话，我会很紧张
    C．我跟市长没有什么话可说
    D．这个任务只能交给别人做

24. A．我喜欢那套房子，但太太不满意
    B．小区不大
    C．生活设施不齐全
    D．小区旁边有一条高速公路，很吵

25. A．我和小王有时候会通通电话
    B．我经常给小王打电话
    C．我和小王是同学
    D．A和C

26. A．写的水平跟大卫一样
    B．说得比大卫好
    C．说比写好
    D．写比说好

27. A．没有去看
    B．既有唱又有跳
    C．只有唱歌
    D．只有跳舞

28. A．生病了
    B．出差太累
    C．睡眠不足
    D．不想接设计任务

29. A．北京产的要贵一些
    B．山东产的要贵一些
    C．产地不同
    D．品种不同

30. A．“我”比小陈傻，所以小陈考得比“我”好
    B．学习的方法很重要
    C．学习方法不对，多花时间不一定有好的效果
    D．B和C

31. A. 本来我今天没准备买衣服
B. 小李不想买衣服
C. 专门去买衣服，常常买不到合适的衣服
D. 小李一件衣服也没有买

32. A. 他现在很饿
B. 他不喜欢吃肉
C. 不吃肉他会觉得很饿
D. 他现在不能吃肉

33. A. 中国经济发展得很快
B. 某些大城市的生活水平跟发达国家一样高
C. 中国的经济水平还是比不上发达国家
D. 中国的经济水平已赶上发达国家

34. A. 黄颜色的头发好看
B. 黄颜色的头发不好看
C. 黄颜色的头发时髦
D. 没有人不喜欢黄颜色的头发

35. A. 我准备考博士
B. 我没有考上博士
C. 如果没有考上博士，我会再考
D. 我考博士的决心很坚定

第三部分

36–38题是根据下面这段对话：

36. A. 玩具
B. 键盘
C. 电子教学工具
D. 玩意儿

37. A. 读汉语
B. 读英语
C. 教画画儿
D. 做数学题

38. A. 比买衣服贵
    B. 很便宜
    C. 不贵
    D. 很贵

39–41 题是根据下面这段短文：

39. A. 学校
    B. 家里
    C. 在实践中
    D. 英特网

40. A. 不会看报纸
    B. 不懂电脑
    C. 没有专业知识
    D. 缺乏技术能力

41. A. 知识是学不完的
    B. 要跟上时代的发展，就要随时学习，补充知识
    C. 如果你是硕士或博士，你的知识就够用一辈子了
    D. 高学历的人同样需要不断学习和积累知识

42–44 题是根据下面这段对话：

42. A. 因为工作上的事
    B. 因为学习上的事
    C. 因为和同事吵架
    D. 因为运动太激烈

43. A. 睡觉
    B. 听音乐
    C. 跳舞
    D. 体育运动

44. A. 睡觉比工作重要
    B. 工作比睡觉重要
    C. 工作和休息一样重要
    D. 娱乐是最好的休息方法

45–47题是根据下面这段短文：

45. A. 大家都差不多
    B. 大家是一样的
    C. 可能会差得很远
    D. 可能会不同，但应该把意见说出来

46. A. 有的人觉得等歌星很快乐，有的人会觉得一点儿意义都没有
    B. 有的人觉得买名牌时装很时髦，有的人觉得是浪费钱
    C. 有的人觉得旅游很开心，有的人觉得是花钱买疲劳
    D. 有人觉得没工作很倒霉，有的人觉得可以不工作很幸运

47. A. 思维和生活方式没有好坏的区别
    B. 每个人都有自己的思维方式和生活方式
    C. 没有必要谈论别人的行为是好还是不好
    D. 应该帮助别人选择合适的生活方式，开心地生活

48–50题是根据下面这段对话：

48. A. 经济发展得不错
    B. 环境保护工作也做得不错
    C. 环境保护工作很落后
    D. A和C

49. A. 环境破坏很严重
    B. 环境好多了
    C. 空气质量比以前好
    D. 和别的城市比，我市的环境还不算很好

50. A. 答应过别人的事一定要完成
    B. 找出我市在环境方面和别的城市的差距
    C. 客观评价我市的环境情况
    D. 提醒大家要有保护环境的意识

第九课

废纸桶和墙、爱与被爱

生 词

1. 废　fèi（形）没有用处的，或已经失去使用价值的
2. 画家　huàjiā（名）painter
3. 千方百计　qiānfāng bǎijì　形容想尽或用尽各种方法
4. 赞扬　zànyáng（动）称赞并表扬
5. 尝试　chángshì（动）试；试验
6. 自身　zìshēn（代）自己，强调不是别人
7. 接二连三　jiē'èrliánsān　一次紧跟着一次，一个紧跟着一个，中间不断开
8. 荣誉　róngyù（名）honour, credit
9. 得意　déyì（形）符合愿望，觉得满足
10. 与此同时　yǔcǐtóngshí　在某事发生的同一时间里
11. 构思　gòusī（动）写文章或制作工艺品时专心认真地想
12. 丝毫　sīháo（副）极少或很少；一点儿
13. 牢记　láojì（动）记住；决不忘记
14. 舒畅　shūchàng（形）开心愉快，舒服痛快
15. 失恋　shīliàn（动）恋爱的一方失去另一方的爱情
16. 分手　fēnshǒu（动）分开
17. 一心一意　yìxīnyíyì　很专心
18. 气愤　qìfèn（形）生气；愤怒
19. 学问　xuéwèn（名）关于某方面的知识；也指比较深的道理
20. 嘲笑　cháoxiào（动）笑话别人
21. 忍受　rěnshòu（动）把痛苦、困难等勉强接受下来
22. 烦恼　fánnǎo（形）烦闷苦恼
23. 盲目　mángmù（形）认识不清；没有目的
24. 牺牲　xīshēng（动）to sacrifice, to give up

专有名词

1. 赵刚　Zhào Gāng　人名
2. 肖明　Xiāo Míng　人名

语法点

1. 程度补语：形容词＋得＋不行	大家知道可以去旅行都高兴得不行。
2. 副词：明明	钥匙我明明放在桌子上了，怎么找不到了呢？
3. 副词：居然	我没想到他居然可以考第一名。

精听部分

一、听句子，填空：

1. 这些都是__________纸，拿去和旧报纸一起卖了吧！
2. 原来的方法不太好，于是他们__________使用新的办法。
3. 整个下午__________地有人来办公室办事，他们一直没有休息。
4. 他知道妹妹很喜欢邮票，就__________地到处去收集。
5. 这次考试小伟得了全班第一名，他觉得很__________。
6. 小王非常认真地跟着师傅学技术，__________不敢马虎。
7. 小兰20岁了连饭也不会做，朋友们都在__________她。
8. 她最近心情很__________，因为她考上了博士，还有下个月要结婚了。
9. 他可以回答你这些问题，他是我们这儿最有__________的人。
10. 你要离开家了，爸爸这些话你一定要__________在心里。
11. 她实在__________不了南方的气候，只好回到北方。
12. 他__________地在看书，有人进来了也不知道。
13. 我妈妈竟然不相信我说的话，这让我非常__________。
14. 小王和女朋友__________了，所以最近心情不好。

二、听句子，根据要求选择正确答案：

1. A．我嘲笑他
   B．他很气愤
   C．我很气愤，他就走了
   D．我不想再听到他嘲笑我的话

2. A．他们一直在使用新药
   B．用新药代替原来的药很容易
   C．他们想了很多办法来试验新药
   D．他们要尝尝新药

3. A．小王很高兴
   B．徐洪很得意
   C．徐洪赞扬小王
   D．A和C

4. A．王林学习很专心
   B．王林一点儿都不关心女朋友
   C．王林结婚几年了
   D．王林一点儿都不喜欢做学问

5. A. 陈医生常常休息
B. 陈医生比赛赢了
C. 陈医生休息时间也工作
D. 陈医生为了救病人牺牲了

6、A. 自己乱吃药会弄坏身体
B. 有病不去看医生是很笨的行为
C. 有病应该去看医生
D. 乱吃药不算愚蠢

7. A. 他嘲笑过小徐好几次
B. 小徐受不了他的嘲笑
C. 我没想到小徐受得了他的嘲笑
D. 如果是我，一定受不了他的嘲笑

8. A. 她是张强的女朋友
B. 明天她要和张强分手
C. 王刚不清楚他们分手没有
D. 她不让王刚再说她是张强的女朋友

9. A. 李先生总是在设计中有所变化
B. 李先生是最好的设计师
C. 李先生成为第一设计师很光荣
D. 李先生的设计非常传统

10. A. 我一点儿也没有忘记你的话
B. 我只记住了一点点你说的话
C. 我想忘记你的话，可是忘不了
D. 以上答案都不对

11. A. 我记得我扔了那封信
B. 那封信应该在废纸桶里
C. 我从来没有见过那封信
D. 很奇怪那封信居然不见了

12. A. 没有荣誉，也没有烦恼
B. 没有烦恼很光荣
C. 荣誉没有什么用
D. 没有得到荣誉跟自己有关系

三、听对话，选择正确答案：

1. A．比赛
   B．设计
   C．散步
   D．报名

2. A．从舒畅到烦恼
   B．从舒畅到气愤
   C．从得意到烦恼
   D．从气愤到烦恼

3. A．小肖
   B．赵星
   C．小肖和老李
   D．小肖和赵明

4. A．他没有和赵明说好一起参加比赛
   B．他设计的时候不认真
   C．他设计时没有花太多时间
   D．他自己没有去报名，赵明也没有帮他报

5. A．心情舒畅
   B．非常得意
   C．嘲笑小肖愚蠢
   D．不承认自己说过的话

废纸桶和墙

一、根据内容回答问题：

1．赵刚的妈妈给了赵刚三样什么东西？

2．肖明的妈妈给了肖明三样什么东西？

3．谁先成为了一位著名的画家？

4．肖明什么时候成为了一位著名的画家？

二、判断句子正误：

1．赵刚的妈妈希望赵刚敢于尝试。（　　　　）

2．肖明的妈妈认为要认真听别人的意见。（　　　　）

3．赵刚参加过很多次画展。（　　　　）

4．肖明为了赢得荣誉和称赞，常常累得不行。（　　　　）

5．赵刚画画儿的风格一直没有什么变化。（　　　　）

三、根据要求选择正确答案：

1．A．给孩子一面墙
B．给孩子一个废纸桶
C．想办法让孩子成为画家
D．想办法学习画画儿

2．A．他画画儿画得很好
B．会得到妈妈的赞扬
C．会得到客人的赞扬
D．画儿贴出来好看

3．A．获得了好几次奖
B．得到了很多荣誉
C．很多人赞扬他
D．他的画儿有所创新

4．A．他认为敢于否定才会有所创新
B．别人说不好
C．画得不好
D．可以培养自信心

5. A. 赵刚一直无法成为著名画家
   B. 肖明比赵刚更有名了
   C. 赵刚几十年不画画儿了
   D. 肖明的画儿被取下来了

爱与被爱

一、根据内容回答问题：

1. 什么使哲学家心情舒畅？
2. 哲学家说小伙子太糊涂了，小伙子觉得怎么样？
3. 哲学家认为小伙子失去的是什么？
4. 哲学家认为小伙子以前的女朋友失去的是什么？

二、判断句子正误：

1. 哲学家在公园散步。(　　　　)
2. 哲学家不理解小伙子的痛苦。(　　　　)
3. 哲学家认为小伙子在自寻烦恼。(　　　　)
4. 哲学家认为那个女孩儿才应该伤心。(　　　　)
5. 最后小伙子觉得自己真是个愚蠢的人。(　　　　)

三、根据要求选择正确答案：

1. A. 很舒畅
   B. 很伤心
   C. 很糊涂
   D. 很开心

2. A. 他的女朋友离开他了
   B. 哲学家嘲笑他
   C. 他觉得自己没有学问
   D. 他不忍心离开女朋友

3. A. 小伙子居然哭了
   B. 小伙子很愚蠢
   C. 小伙子这么伤心不值得
   D. 不理解小伙子的痛苦

4. A. 小伙子心中充满了爱
   B. 小伙子并没有失去爱

C．小伙子只是失去一个不爱他的人
D．小伙子非常可怜

5．A．不应该和女朋友分手
B．应该盲目地去爱
C．不应该成为爱情的牺牲品
D．自己原来是个可怜的人

讨论题：

1．你认为《废纸桶和墙》中两位妈妈的做法怎么样？你认为成功的关键是什么？
2．你是否同意“爱必须被你所爱的人接受才是真正的爱，否则爱就不成立”这个说法？

第十课

中国传统节日的起源、中国最重要的传统节日

生 词

1. 形式　xíngshì（名）事物的形状、结构等
2. 岁月　suìyuè（名）年月；日子
3. 天文　tiānwén（名）astronomy
4. 节气　jiéqì（名）solar terms
5. 紧密　jǐnmì（形）关系十分近；很难分开
6. 鲜明　xiānmíng（形）明确
7. 大致　dàzhì（副）大概；大约
8. 定型　dìngxíng（动）to finalize the design, to become fixed
9. 丰收　fēngshōu（动）指农业上的收获很好
10. 迷信　míxìn（动、名）superstition
11. 色彩　sècǎi（名）事物的某种特点
12. 统一　tǒngyī（动）使部分合成整体
13. 良好　liánghǎo（形）比较好；令人满意
14. 气氛　qìfēn（名）atmosphere
15. 习俗　xísú（名）习惯和风俗
16. 差异　chāyì（名）不一样的地方；不同
17. 背景　bèijǐng（名）background
18. 农历　nónglì（名）traditional Chinese calendar
19. 民间　mínjiān（名）普通老百姓中间
20. 传说　chuánshuō（动、名）人们口头上流传下来的关于某人某事的说法
21. 爱国主义　àiguózhǔyì　patriotism
22. 诗人　shīrén（名）poet
23. 龙舟　lóngzhōu（名）dragon boat
24. 粽子　zòngzi（名）中国端午节吃的一种食品，用竹叶或苇叶把糯米、枣等包在一起，煮熟后食用
25. 拜　bài（动）一种表示尊敬的形式
26. 月饼　yuèbǐng（名）moon cake

专有名词

1. 战国时期　Zhànguó shíqī　Warring States Period
2. 秦始皇　Qínshǐhuáng　the first emperor of the Qin Dynasty
3. 汉朝　Hàn cháo　Han Dynasty
4. 中央电视台　Zhōngyāng Diànshìtái　China Central Television
5. 端午节　Duānwǔ Jié　Dragon Boat Festival
6. 屈原　Qū Yuán　战国末期楚国人，著名的政治家和爱国诗人
7. 中秋节　Zhōngqiū Jié　Mid-Autumn Festival

语法点

1. 副词：大都　我们班的同学大都是来自亚洲。
2. 千山万水　虽然我和他之间隔着千山万水，但心却是连在一起的。

精听部分

一、听句子，填空：

1．他们＿＿＿＿＿＿是从日本来的，只有小部分是从韩国来的。
2．小陈对＿＿＿＿＿＿很有兴趣，每天晚上都观察星星。
3．任何一种语言都跟文化有着＿＿＿＿＿＿的联系。
4．他的观点十分＿＿＿＿＿＿，要让孩子早日独立生活。
5．我们俩的看法＿＿＿＿＿＿相同。
6．今年夏天西瓜大＿＿＿＿＿＿，所以卖得很便宜。
7．这种工艺品很有地方＿＿＿＿＿＿，你应该买回去做个纪念。
8．饭前洗手是一种＿＿＿＿＿＿的卫生习惯。
9．比赛之前，大家都不说话了，＿＿＿＿＿＿有点儿紧张。
10．地方不同，＿＿＿＿＿＿就不同。
11．不同地方的人生活习惯有很大的＿＿＿＿＿＿。
12．在这张照片里，你很漂亮，＿＿＿＿＿＿也很漂亮。
13．几乎每个国家都有关于月亮的＿＿＿＿＿＿。
14．李白是中国古代著名的＿＿＿＿＿＿之一。

二、听句子，根据要求选择正确答案：

1．A．衣服的样子很好看
B．一眼就能看出衣服的地方特点
C．衣服的颜色很鲜艳
D．衣服是在那个地方做的

2．A．这儿的人很相信你
B．这儿的孩子都不相信外地人
C．这儿很多人都认为孩子的头不能摸
D．这儿的人都不喜欢摸头

3．A．这个故事是一代一代传下来的
B．大家都知道这个故事
C．只有他们知道这个故事
D．除了他们，大家都听过这个故事

4．A．原来的气氛挺好
B．他跟小王打起来了
C．大家都觉得他应该跟小王打
D．没想到他会跟小王打起来

5. A. 她和丈夫不想在这儿生活
   B. 丈夫的生活习惯和我的太不一样了
   C. 丈夫和我成长的环境不同
   D. 不同的成长环境会使人有不同的生活习惯

6. A. 应该跟那位天文学家学天文
   B. 应该请那位天文学家做老师
   C. 那位天文学家喜欢别人问他问题
   D. 那位天文学家有很多天文知识

7. A. 他写了很多诗
   B. 他热爱祖国
   C. 他的诗鼓励了很多人
   D. 他参加了那次战争

8. A. 说话人不喜欢农村
   B. 这里的人习惯用农历
   C. 这里的人不习惯用农历
   D. 以上答案都不对

9. A. 他们就要分别了
   B. 他们将离得很远
   C. 他们分开的时间不长
   D. A、B和C

10. A. 完全相同
    B. 完全不同
    C. 基本上相同
    D. 有很大的差异

11. A. 只有一个同学想买运动服
    B. 同学们一起去买运动服
    C. 由班长去给大家买运动服
    D. 以上答案都不对

三、听对话，选择正确答案：

1. A. 8月14日、美国
   B. 8月15日、中国
   C. 9月14日、美国
   D. 9月15日、中国

2. A. 农历8月底
   B. 公历8月中
   C. 农历9月中
   D. 公历9月初

3. A. 不同地方的月饼味道不太一样
   B. 月饼也有地方特点
   C. 各地的月饼都很新鲜，颜色也很好看
   D. 各地做月饼的材料不完全相同

4. A. 坐在家里聊天儿
   B. 吃月饼
   C. 看月亮
   D. 小孩儿听大人讲民间传说

5. A. 他要爬很多山
   B. 他刚从家里回来
   C. 太远了，来回一趟不容易
   D. 他今年春节回过家，不想回去了

中国传统节日的起源

一、根据短文内容连线：

汉朝　　　　　　　节日的起源
唐代　　　　　　　节日基本定型
战国时期　　　　　性质转变和最后定型

二、判断句子正误：

1．传统节日有鲜明的工业文化色彩。（　　　）
2．在起源时期，大部分节日都有一定的迷信色彩。（　　　）
3．唐代是秦始皇统一中国后的第一个兴旺时期。（　　　）
4．不同民族不同地区庆祝节日的习俗不同。（　　　）
5．很多民族不接受主要的传统节日。（　　　）

三、根据要求选择正确答案：

1．A．农业生产
B．节气
C．天文
D．地方特色

2．A．战国时期
B．秦始皇统一中国时
C．汉朝
D．唐代

3．A．迷信活动
B．出现了许多具有民族特色的歌舞
C．社会经济和科学文化的发展
D．各族人民的接受

4．A．不同的节日有不同的庆祝方式
B．节日的食物也不相同
C．出现了许多具有民族特色的活动
D．不同的节日有不同的迷信色彩

5．A．中国传统节日的形成大概经历了三个阶段
B．战国时期的节日大都与节气、祈祷幸福和丰收有关

C．现在已经没有集庆祝、娱乐、饮食于一体的形式了
D．不同地区庆祝节日的习俗有一定的差异

中国最重要的传统节日

一、根据短文内容连线：

中秋节	农历五月五日	龙舟比赛
春节	农历八月十五日	吃团年饭
端午节	农历一月一日	吃月饼

二、判断句子正误：

1．民间最古老、最热闹的传统节日是春节。（　　　）
2．春节后的第一天叫做“除夕”。（　　　）
3．春节人们习惯全家外出游玩。（　　　）
4．龙舟比赛现在成了国际性体育比赛。（　　　）
5．古代的拜月活动其实是一种祈祷幸福的仪式。（　　　）

三、选择正确答案：

1．A．拜访亲朋好友，互相祝福　　B．看中央电视台的春节联欢晚会
2．A．端午节　　B．中秋节
3．A．月饼　　B．粽子
4．A．三国时期　　B．战国时期
5．A．祈祷农业丰收　　B．团圆

讨论题：

1．你参加过中国的节日庆祝活动吗？请介绍一下当时的情况。
2．请介绍一个你们国家的传统节日。

第十一课

乒乓球奇妙的故事、体育新闻

生 词

1. 木塞　mùsāi（名）cork
2. 橡胶　xiàngjiāo（名）rubber
3. 层　céng （量）layer (measure word)
4. 损坏　sǔnhuài（动）to damage, to injure
5. 空心　kōngxīn（形）物体的内部什么也没有
6. 颗粒　kēlì（名）外形小而圆的东西
7. 拍子　pāizi（名）拍打东西的用具
8. 弹　tán（动）to spring, to leap
9. 联合　liánhé（动）互相结合在一起
10. 男子　nánzǐ（名）男性
11. 团体　tuántǐ（名）organization, group, team
12. 领先　lǐngxiān（动）指比赛进行中得分比别人高
13. 决赛　juésài（名）最后决定输赢的比赛
14. 观看　guānkàn（动）特意地看；参观
15. 混合　hùnhé　不同性质的人或事物在一起
16. 亚军　yàjūn（名）比赛中的第二名
17. 选手　xuǎnshǒu（名）选出来的参加比赛的人
18. 缩　suō（动）因紧张、害怕而后退
19. 旋转　xuánzhuǎn　物体自身转动或围着另一个物体转动
20. 局　jú　比赛性质的活动，进行一次为一局
21. 优势　yōushì （名）比对方好、能取得胜利的有利形势
22. 对手　duìshǒu（名）比赛的双方
23. 比分　bǐfēn（名）比赛双方用来比较成绩、决定胜负的
24. 凶猛　xiōngměng（形）violent, ferocious
25. 进攻　jìngōng（动）在比赛中发动攻势
26. 被动　bèidòng（形）passive
27. 顽强　wánqiáng　坚强
28. 拼搏　pīnbó（动）尽全力去取得

专有名词

1. 剑桥大学　Jiànqiáo Dàxué　Cambridge University
2. 伦敦　Lúndūn　London
3. 锦标赛　jǐnbiāosài　Championship
4. 匈牙利　Xiōngyálì　Hungary
5. 巴黎　Bālí　Paris
6. 孔令辉　Kǒng Lìnghuī　人名
7. 奥地利　Àodìlì　Austria
8. 施拉格　Shīlāgé　人名　Schlager Werner

语法点

1. 目的复句：……以便……　他常常跟中国人谈话，以便提高自己口语水平。
2. 副词：接连　他一回家就接连打了几个电话。

精听部分

一、听句子，填空：

1. 晚上睡觉时我就调好了闹钟，＿＿＿＿＿＿明天上午准时起床。
2. 他使劲一拍，球就＿＿＿＿＿＿了起来。
3. 这几家小公司＿＿＿＿＿＿起来组成了一家大公司。
4. 昨天他们观看了女子足球赛，我们观看了＿＿＿＿＿＿排球赛。
5. 这次学校的乒乓球赛，我们学院得了＿＿＿＿＿＿赛的冠军。
6. 明天就要举行＿＿＿＿＿＿了，到时就可以知道谁是冠军了。
7. ＿＿＿＿＿＿是在冠军之后和第三名之前。
8. 参加大学生运动会的＿＿＿＿＿＿都来到了这个城市，他们都是各个院校挑选出来的优秀运动员。
9. 地球绕着太阳＿＿＿＿＿＿。
10. 这次比赛我遇到了真正的＿＿＿＿＿＿，费了很大力气才赢了他。
11. 现在北京队和上海队的＿＿＿＿＿＿是110：105。
12. 这几天的天气不太好，＿＿＿＿＿＿下了好几场大雨。
13. 学习要主动，＿＿＿＿＿＿地学效果不好。
14. 这个姑娘很＿＿＿＿＿＿，得了病，还一直坚持工作。

二、听句子，根据要求选择正确答案：

1. A. 王强的对手获得了冠军
   B. 王强得了第二名
   C. 王强赢了4局
   D. 决赛是昨天举行的

2. A. 比赛是三所大学一起举办的
   B. 有5000人参加比赛
   C. 比赛一共有5000多个观众
   D. 据估计，将有5000多人观看比赛

3. A. 花瓶如果不包就容易打坏
   B. 瓶子一共包了四层
   C. 应该把花瓶放到箱子里
   D. 不能用纸包瓶子

4. A. 大家要在奥地利选运动员参加比赛
   B. 大家认为那两位奥地利运动员能取得好成绩

C. 那两位奥地利运动员明显比别的选手强
D. B和C

5. A. 只有一只脚
B. 转一下休息一下可以转几十圈
C. 没有办法转几十圈
D. 可以连续转几十圈

6. A. 原来我可能参加两项比赛
B. 我准备参加单打和混合双打的比赛
C. 后来我决定只参加混合双打比赛
D. A和C

7. A. 我们不想进攻
B. 我们打得很被动
C. 对手没有进攻
D. 我们早就知道对手很厉害

8. A. 参加团体可以多认识人
B. 一个人只能参加一个团体
C. 团体只有大学才有
D. 我认识的人都在一个团体里

9. A. 有人用球扔孩子的眼睛
B. 孩子用球扔别人的眼睛
C. 孩子玩儿球的时候自己伤到了眼睛
D. 以上答案都不对

10. A. 后面三局他都输了
B. 他们一共打了5局
C. 新拍子他还没用惯
D. 他的拍子不好

三、听对话，选择正确答案：

1. A. 上一局他常常进攻
B. 上一局他赢了
C. 下一局他会更多地进攻
D. 下一局他会缩手缩脚

2. A. 坚持顽强的训练使小王得到冠军
B. 小王一边玩儿一边训练
C. 小王累了就常常休息

D．小王不知道训练时可以休息

3．(1) A．自己组织的比赛
B．全市业余网球赛
C．公司网球赛
D．全国网球赛

(2) A．男的
B．女的
C．全国亚军
D．教练

(3) A．打得缩手缩脚
B．对手很厉害
C．拍子坏了
D．A和B

(4) A．加强进攻，加快节奏
B．对手拍子坏了
C．对手没有适应他们的新打法
D．A和C

(5) A．小强他们打得很顽强
B．最后小强他们赢了
C．参加比赛是学习的好机会
D．对方水平比小强他们高

泛听部分

乒乓球奇妙的故事

一、根据短文内容连线：

1800 年　　　　国际乒乓球联合会成立
1926 年　　　　生产出了“室内网球”
　　　　　　　　世界锦标赛
1971 年　　　　欧洲乒乓球锦标赛

二、判断句子正误：

1. 大家都知道是两个学生发明了乒乓球。(　　　　)
2. 一个伦敦人生产出了室内网球。(　　　　)
3. 19 世纪，美国人对乒乓球并不热心。(　　　　)
4. 在一次世界锦标赛上，匈牙利获得女子团体冠军。(　　　　)
5. 到目前为止，中国乒乓球队的水平世界领先。(　　　　)

三、划出正确答案：

1. 室内网球首先在哪里很快流行起来？　A. 美国　B. 英国
2. 19 世纪，人们为什么给球包上一层网？　A. 跳得更高　B. 防止损坏家具
3. 什么时候，我们今天所用的空心球被发明出来了？　A. 1805 年左右　B. 1905 年左右
4. 颗粒状的橡胶皮包在拍子表面有什么作用？　A. 可以把球拍得更高　B. 可以更好地控制球
5. 乒乓球的“乒”是指什么声音？　A. 球拍打球的声音　B. 球弹在桌面上的声音

体育新闻：第四十七届巴黎世界乒乓球赛

一、回答问题：

1. 这里说的是第几届世界乒乓球锦标赛？
2. 最后一天的比赛全球有多少人观看？
3. 在本届比赛中中国队没有拿到什么冠军？
4. 施拉格和孔令辉一共打了多少局？

二、判断句子正误：

1. 本届比赛是在北京举行的。(　　　　)
2. 本届比赛，中国队拿到了四个冠军。(　　　　)
3. 施拉格是匈牙利人。(　　　　)

4．第四局和第五局孔令辉都赢了。(　　　　)

5．孔令辉虽然输了这场比赛，但是还是进入了决赛。(　　　　)

三、选择正确答案：

1．A．女双半决赛
　B．男单决赛
　C．女双决赛
　D．混合双打决赛

2．A．4：3
　B．3：4
　C．11：8
　D．3：1

3．A．缩手缩脚
　B．进攻凶猛
　C．处于被动
　D．顽强拼搏

4．A．状态非常好
　B．进攻凶猛
　C．打旋转球
　D．回球总是下网

讨论题：

1．在你们国家，人们最喜欢的体育运动是什么？请介绍这种体育运动。

2．你认为体育运动对人们有什么好的影响？

第十二课

新闻两则：人力资源的超级大国、中国吸引外资将名列全球第一

生词

1. 超级　chāojí（形）超过一般的
2. 秘书　mìshū（名）secretary
3. 加入　jiārù（动）参加进去
4. 当中　dāngzhōng（名）正中；中间
5. 素质　sùzhì（名）事物本来的性质
6. 投资　tóuzī　把资金放到企业或生产、经商活动中用
7. 外商　wàishāng（名）外国商人
8. 带动　dàidòng（动）在前面做，使后面的人跟着做
9. 潜力　qiánlì（名）potentiality, latent capacity
10. 外资　wàizī（名）foreign capital
11. 季度　jìdù（名）quarter (of a year)
12. 趋势　qūshì（名）事物发展的方向
13. 机构　jīgòu（名）mechanism, organization
14. 突破　tūpò（动）to break through, to surmount
15. 毫无　háowú　一点儿也没有
16. 金额　jīn'ér（名）钱数
17. 一系列　yíxìliè　a series of
18. 引进　yǐnjìn（动）从外地或外国引入（人才、技术、资金等）
19. 标志　biāozhì（动）表示某种特征
20. 动力　dònglì（动）推动工作、事业等前进和发展的力量
21. 冷静　lěngjìng（形）不着急；不盲目行动

专有名词

1. 新华网　Xīnhuáwǎng　Xinhua Net
2. 莫里斯·斯特朗　Mòlǐsī Sītèlǎng　Maurice Strong
3. 世界贸易组织　Shìjiè Màoyì Zǔzhī　World Trade Organization (WTO)
4. 国民生产总值　Guómín Shēngchǎn Zǒngzhí　Gross Domestic Product (GDP)

语法点

1. **副词：即将**　　假期即将结束，新的学期又开始了。
2. **副词：依照**　　依照有关规定，新来的学生必须参加入学考试。

精听部分

一、听句子，填空：

1. 张小姐是我们公司陈经理的＿＿＿＿＿＿。
2. 在这些学生＿＿＿＿＿＿，他是最努力的一个。
3. 人的身体＿＿＿＿＿＿好，有病也会好得快一些。
4. ＿＿＿＿＿＿我们学校图书馆的规定，一次借书的时间为三个月。
5. 在老师的＿＿＿＿＿＿下，学生们很快完成了任务。
6. 这种杂志一个＿＿＿＿＿＿出一本，一年一共出四本。
7. 从年轻人的服装特点看，今年有流行中国古典服装款式的＿＿＿＿＿＿。
8. 只要＿＿＿＿＿＿了语音和汉字的难关，汉语就可以学好。
9. 我不想回答这个问题，因为我对这个问题＿＿＿＿＿＿兴趣。
10. 我弟弟＿＿＿＿＿＿动身去匈牙利参加乒乓球比赛。
11. 老师给我们推荐了＿＿＿＿＿＿的课外阅读资料。
12. 这一数字＿＿＿＿＿＿着国民生产总值已经达到了一个新的水平。
13. 对中国文化的极大兴趣是田中学习汉语的＿＿＿＿＿＿。
14. 碰到危险的情况，首先不要太紧张，要＿＿＿＿＿＿。
15. 现在香港从大陆＿＿＿＿＿＿了不少技术人才。

二、听句子，根据要求选择正确答案：

1. A. 总经理需要人翻译材料
   B. 秘书叫王小姐翻译材料
   C. 王小姐是总经理的秘书
   D. A和C

2. A. 较好的身体素质
   B. 较好的心理素质
   C. 较好的文化素质
   D. A和B

3. A. 和上个季度差不多
   B. 比上个季度多得多
   C. 超过上个季度的产量
   D. 有一点点突破

4. A. 外商投资要占一半
   B. 外商投资要超过一半
   C. 中方资金只能占一半

D. 中方资金必须超过一半

5. A. 大家都认为中国队能取得好成绩
B. 中国队明显比别的队好
C. 中国队不承认比别的队好
D. 大家相信中国队能战胜别的队

6. A. 他的生活发生了一个又一个的变化
B. 他的生活变化了，所以他加入了外资企业
C. 以前他不在外资企业工作
D. 新的工作使他的生活变化了

7. A. 比赛已经开始了
B. 运动员已经做好准备了
C. 比赛马上就要开始了
D. A和B

8. A. 为了发展生产我们需要机器
B. 本地没有我们需要的机器
C. 我们需要的机器本地可以生产
D. A和B

9. A. 老师和我们一起种树，我们完成了任务
B. 我们不可能完成任务
C. 老师带着树来教我们种
D. 老师们没有参加种树活动

10. A. 他在外国工作
B. 他没有工作，所以出国了
C. 每年他半年在国内，半年在国外
D. 他可以一直在国内工作

三、听对话，选择正确答案：

1. A. 因为他喜欢读书
B. 因为是公司改革的要求
C. 因为很多人学，他也学
D. 以上答案都不对

2. A. 小李和老杨之间有矛盾
B. 小李和老杨两人都在生气
C. 小李和老杨两人都很冷静

D．A和B

3．(1) A．老板
B．秘书
C．翻译
D．管理人员

(2) A．年轻、外语好
B．各方面素质不错
C．懂先进的管理方法
D．伯伯是老板

(3) A．自己太年轻
B．外语不好
C．伯伯要求太高
D．伯伯是老板

(4) A．很自信
B．一点儿自信也没有
C．应该再自信一点儿
D．自信过头了

(5) A．可以挑战自己
B．可以发挥自己的潜力
C．可以学习新的管理知识
D．A、B和C

泛听部分

新闻两则：人力资源的超级大国

一、回答问题：

1. 莫里斯 · 斯特朗是做什么的？
2. 从哪方面看，中国是世界上最富有的国家？
3. 中国最大的优势是什么？
4. 中国正不断地加入到什么过程当中？
5. 目前，有多少家大型跨国公司来中国投资？

二、判断句子正误：

1. 中国早已是人力资源的超级大国。(　　　　)
2. 2002年国际人力资源会议是在北京开的。(　　　　)
3. 短文中的统计数字来自联合国办公室。(　　　　)
4. 跨国公司在中国建立了400多家研究中心。(　　　　)
5. 莫里斯 · 斯特朗相信中国在发展人力资源方面会成功。(　　　　)

三、选择正确答案：

1. A. 高额资金
   B. 人力资源的发展
   C. 对外开放
   D. 加入世界贸易组织

2. A. 加入全球经济一体化
   B. 对外开放
   C. 加入世界贸易组织
   D. A、B和C

3. A. 中国到外国投资的公司越来越多
   B. 在中国各种国际贸易往来越来越活跃
   C. 世界600强中有500多家到中国投资
   D. 法国公司在中国建立了400多个研究中心

4. A. 使中国利用和开发丰富的人力资源
   B. 带动了中国出口的增长
   C. 为中国发挥人力资源优势创造机会
   D. 为中国提高人力素质创造机会

中国吸引外资将名列全球第一

一、回答问题：

1. 中国利用外资将突破多少美元？
2. 1月到10月，中国新批准成立的外商投资企业比去年增长了多少？
3. 中国连续多少年在吸引外资方面位居发展中国家第一位？
4. 专家估计，未来2到3年中，中国吸引外资可能保持多少的增长幅度？

二、判断句子正误：

1. 中国早已成为全球吸引外资第一大国。(　　　　)
2. 2002年外资进入中国速度很快、规模很大。(　　　　)
3. 吸引外资的意义并不重要。(　　　　)
4. 有关专家认为未来几年中国吸引外资可以保持很快的增长速度。(　　　　)

三、选择正确答案：

1. A. 几年来中国的外商投资企业
   B. 中国新批准成立的外商投资企业
   C. 外商投资的金额
   D. 外商2002年投资的金额

2. A. 多750亿美元
   B. 多447亿美元
   C. 少303亿美元
   D. 少447亿美元

3. A. 中国改变了引进外资速度不快的情况
   B. 中国改变了引进外资规模不大的情况
   C. 中国已经成为了全球吸引外资第一大国
   D. A和B

4. A. 有点儿怀疑
   B. 认为变化会不大
   C. 比较乐观
   D. 短文中没有提到

讨论题：

1. 你们国家人口多吗？你认为人口多带来的好处多还是坏处多？
2. 外商将大量资金投到中国，对外商本国经济有哪些好的和不好的影响？

第十三课

一个苹果的爱情、买东西的毛病

生词

1. 削　xiāo（动）用刀去掉物体的皮儿
2. 水分　shuǐfèn（名）物体内部含有的水
3. 足　zú（形）充足；足够
4. 开水　kāishuǐ（名）烧到100℃的水
5. 借口　jièkǒu（名）以某事为理由（非真正的理由）
6. 煤气灶　méiqìzào（名）gas stove
7. 过瘾　guòyǐn（形）满足某种爱好
8. 夜晚　yèwǎn（名）夜里；晚上
9. 特地　tèdì（副）专门为某件事
10. 彼此　bǐcǐ（代）这个和那个；双方
11. 老婆　lǎopo（名）口语中称夫妻中的女方；妻子
12. 专　zhuān（形）集中在某一件事上的
13. 电饭锅　diànfànguō（名）做饭的电器
14. 皱　zhòu（动）to wrinkle
15. 眉头　méitóu（名）两条眉毛之间及附近的地方
16. 大众　dàzhòng（形）大多数人，专指普通老百姓
17. 销路　xiāolù（名）商品卖出的情况
18. 电器　diànqì（名）用电的机器
19. 串门　chuànmén（动）到别人家去闲坐聊天儿
20. 赶忙　gǎnmáng（副）连忙
21. 耗　hào（动）花掉；用去
22. 量　liàng（名）数量
23. 罢休　bàxiū（动）停止
24. 不解　bùjiě　不可理解，不明白

专有名词

1. 强　Qiáng　人名
2. 燕　Yàn　人名

第13课

语法点

1. 副词：顺手　　出去的时候记住顺手把门关上。

精听部分

一、听句子，填空：

1. 你把苹果__________好，洗干净，客人马上就到了。
2. 这种梨__________特别多，一咬满口水。
3. 我不喜欢喝饮料，只喜欢喝__________。
4. 他__________生病不来上班，实际上他看足球比赛去了。
5. 小张去交作业的时候__________帮我把作业本也交给了老师。
6. 整个__________他都在赶写一篇作文，凌晨过了才睡觉。
7. 他来上海没有别的事，是__________来看望女朋友的。
8. 来，让我们__________认识一下吧！
9. 别人买鸡蛋都挑大的，他怎么__________挑小的买。
10. 你好好儿看看说明书吧，这洗衣机的__________上面都有介绍。
11. 小丽，这几天你怎么总是__________着眉头，肯定有什么心事。
12. 家用__________给人们的生活带来了很多方便。
13. 周末我喜欢到朋友家__________或上街逛逛。
14. 听到女儿的哭声，妈妈__________跑了过来。
15. 这种冰箱太__________电了，买了以后我的电费也多了很多。

二、听句子，根据要求选择正确答案：

1. A. 水分不太足
   B. 水分很多
   C. 吃了不解渴
   D. 吃了会很渴

2. A. 王星没上班因为病了
   B. 虽然病了，王星还是跑去买电器了
   C. 王星的工作是卖电器
   D. 王星说自己病了是因为想买电器

3. A. 赵刚的老同学要来帮他装门
   B. 赵刚的老同学要来看他
   C. 赵刚妻子的同学要来他们家玩儿
   D. 赵刚很忙，所以打算请客人出去吃饭

4. A. 以前很少来这里看小玲
   B. 这次来这里是为了工作
   C. 这次来这里是因为工作上特别的事
   D. 这次来是专门为了看小玲

5. A. 去厨房
   B. 拿饮料
   C. 洗手
   D. 倒开水

6. A. 要用很多电
   B. 要用很多水
   C. 卖得不太好
   D. B和C

7. A. 只卖电器
   B. 只卖一种牌子的电器
   C. 只卖电饭锅
   D. 除了电器，还卖别的

8. A. 不容易坏
   B. 销路好
   C. 好看
   D. 比较贵

9. A. 她以前总是很高兴的样子
   B. 她最近心情可能不太好
   C. 她以前常常烦恼
   D. A和B

10. A. 他们互相之间有了更多的了解
    B. 他们聊了一个晚上
    C. 他们互相之间不太了解
    D. A和B

三、听对话，选择正确答案：

1. A. 功能齐全
   B. 耗电量不大
   C. 可以保存很多蔬菜
   D. A、B和C

2. A. 陈秘书病了
   B. 陈秘书的丈夫病了
   C. 经理认为那是个借口
   D. 经理病了要请假

3．(1) A．爷爷和孙女
B．老板和售货员
C．邻居
D．老大爷和大学生

(2) A．很有礼貌
B．很开心
C．很烦恼
D．A和B

(3) A．样子不好看耗电量又大
B．耗电量不大但不好看
C．样子好看但牌子不好
D．样子好看但耗电量大

(4) A．借锅
B．上班
C．换锅
D．上学

(5) A．上楼下楼锻炼身体
B．洗手
C．去小玲家聊聊天儿
D．帮小玲把锅送回商店

泛听部分

一个苹果的爱情

一、根据内容回答问题：

1. 看电视的时候，燕进厨房去做什么？
2. 燕问强吃不吃苹果时，强是怎么回答的？
3. 强咬了一口苹果，觉得苹果怎么样？
4. 厨房里的开水是谁烧的？
5. 最后谁吃了那个苹果？

二、根据要求选择正确答案：

1. A. 她想喝开水
   B. 她不爱吃苹果
   C. 只有一个苹果了，她想给爱人吃
   D. 喝了水，不渴了

2. A. 拿苹果
   B. 借东西
   C. 烧开水
   D. 想知道为什么太太不吃苹果

3. A. 很多苹果
   B. 一个苹果
   C. 什么也没有
   D. 一杯水

4. A. 不爱吃
   B. 太甜，不解渴
   C. 喝水过瘾
   D. 想让给太太吃

5. A. 她太饱了，吃不下
   B. 只有这样，强才会吃
   C. 苹果实在太大了
   D. 强叫她切的

三、 仔细听短文的最后两段，划出正确的词：

就这样，____________(仅有、惟一)的一个苹果，在一个很____________(平常、平凡)的

（晚上、夜晚），被两个__________（相爱、相信）而__________（平凡、平常）的人，吃出了一份__________（特别、特殊）的__________（温和、温暖）和__________（特别、特殊）的__________（香甜、香味）。

__________（真爱、正爱）就这么__________（简易、简单），不需要__________（特别、特地）做什么，只需将一个苹果轻轻切开，__________（彼此、因此）就__________（明白、明显）。

买东西的毛病

一、根据内容回答问题：

1．我喜欢买价钱怎么样的东西？
2．我老婆喜欢买价钱怎么样的东西？
3．新电饭锅多少钱？
4．新电饭锅看上去怎么样？
5．王师傅是做什么的？

二、根据要求选择正确答案：

1．A．头痛
B．电饭锅是处理品
C．怀疑电饭锅质量不好
D．电饭锅太贵了

2．A．100多块
B．60多块
C．100块
D．60块

3．A．这是个新厂
B．不是名牌
C．价钱便宜好卖
D．销路很好，所以便宜

4．A．来看看我们，聊聊天儿
B．修电器
C．送电饭锅
D．检查电饭锅的质量

5．A．质量很好
B．不费电

C．没有毛病
D．A、B和C

三、仔细听短文的最后两个部分，划出正确的词：

老婆找了＿＿＿＿＿＿（八天、半天），什么毛病也没有找出来，＿＿＿＿＿＿（于是、因此）她觉得很奇怪："＿＿＿＿＿＿（平常、往常）你买的东西我总能＿＿＿＿＿＿（找、挑）出点儿毛病，这次怎么会没有毛病呢？"她那找不出毛病来＿＿＿＿＿＿（便、就）不肯＿＿＿＿＿＿（休息、罢休）的样子，让我＿＿＿＿＿＿（又哭又笑、哭笑不得），我说："是啊，怎么会没有毛病？＿＿＿＿＿＿（当然、应当）有。"老婆＿＿＿＿＿＿（一连、一脸）的＿＿＿＿＿＿（不解、不接）："＿＿＿＿＿＿（怎么、什么）？你知道它的毛病？"

我说："＿＿＿＿＿＿（当然、应当）知道！＿＿＿＿＿＿（好货不便宜、便宜没好货）嘛，它的毛病就是便宜。"

讨论题：

1．你觉得什么是真正的爱？怎么才能看出来？
2．你认为价钱贵就代表质量好吗？请说出理由。

第十四课

笑一笑、幽默两则

生词

1. 透露　tòulù（动）to tell secretly
2. 人生　rénshēng（名）life
3. 勇气　yǒngqì（名）不怕困难和危险的精神
4. 挫折　cuòzhé（名）失败
5. 软弱　ruǎnruò（形）指性格不够坚强
6. 战胜　zhànshèng（动）在战争中或者比赛中取得胜利
7. 人情　rénqíng（名）人普通的感情
8. 减轻　jiǎnqīng（动）减少重量或程度
9. 心态　xīntài（名）心理状态
10. 宁静　níngjìng（形）（环境、心情）安静
11. 俗话　súhuà（名）common saying
12. 调动　diàodòng（动）改变、移动
13. 急躁　jízào（形）遇到不高兴的事情马上就很激动
14. 思考　sīkǎo（名、动）进行比较深刻的思维活动
15. 伴随　bànsuí（动、介）跟着；跟……同时发生
16. 幽默　yōumò（形）humourous
17. 心眼儿　xīnyǎnr（名）心；心里
18. 清晨　qīngchén（名）早晨；太阳出来前后的一段时间
19. 眼神儿　yǎnshénr（名）眼睛里显示出来的神情态度
20. 记忆力　jìyìlì（名）记忆的能力
21. 恩爱　ēn'ài（形）夫妻之间的亲热
22. 夫妇　fūfù（名）丈夫和妻子
23. 老伴儿　lǎobànr（名）结婚的对象（用于老年人）
24. 豆浆　dòujiāng（名）soya-bean milk
25. 要不然　yàobùrán（连）如果不是这样（提出跟上文情况相反或不同的另一种可能）
26. 老头儿　lǎotóur（名）老年男子
27. 出门　chūmén（动）外出
28. 纯　chún（形）pure, unmixed
29. 馅儿　xiànr（名）包子、饺子等点心里包的东西

专有名词

1. 王晓棠　　Wáng Xiǎotáng　人名
2. 《艺术人生》　　《Yìshù Rénshēng》　电视节目名称
3. 王小强　　Wáng Xiǎoqiáng　人名
4. 陈刚　　Chén Gāng　人名

语法点

1. 固定格式：动词1+又+动词2，动词2+又+动词1
   昨晚我们唱了又跳，跳了又唱，高兴极了。
2. 副词：不妨　　这些工作也不是一两天就做得完的，你不妨休息一下再接着做。

精听部分

一、听句子，填空：

1. 这件事是你我的秘密，千万不能__________给别人。
2. 有什么要求你__________直接跟他说。
3. 第一次到台上讲话，她紧张得连开口的__________都没有。
4. 刚开始工作，碰到__________和困难是难免的，你慢慢就会有经验的。
5. 张玲是一个比较__________的人，很怕事，所以很少跟人发生矛盾。
6. 最近我天天去跑步，体重__________了四公斤。
7. 晚上公园里没有什么人，十分__________。
8. 中国有句__________：饭后百步走，活到九十九，它说明了运动对身体健康的重要。
9. 碰到解决不了的问题，我们应该多__________，才能找到最好的处理办法。
10. 老张这个人__________特别好，你有什么困难找他帮忙，只要能办到，他都会帮你。
11. __________的空气特别好，很多人都到公园去锻炼。
12. 年轻人的__________特别好，学过的东西一下就记住了。
13. 你快回家吧！__________妈妈会担心的。
14. 小刘说话很__________，只要他在，大家就笑个没完。
15. 这孩子，吃饺子怎么能光吃__________不吃皮呢？

二、听句子，根据要求选择正确答案：

1. A. 不知道男朋友要分手的原因
   B. 不敢问男朋友为什么要分手
   C. 身体不好，所以男朋友要跟她分手
   D. 是个不够勇敢的女孩子

2. A. 失败是可以战胜的
   B. 哪怕是暂时的失败，也要赶紧放弃
   C. 遇到挫折就应该着急
   D. 坚持就会碰到挫折

3. A. 那个护士是个好心人，可以请她帮忙
   B. 那个护士是个好心人，可是请她帮忙不太方便
   C. 那个护士的眼睛很好，常常帮助别人
   D. 那个护士很好，方便的话可以请她帮你说说话

4. A. 要想三遍
   B. 要好好儿考虑再决定做与不做
   C. 不用想太多
   D. 以上答案都不对

5. A．不想别人知道他改变工作的事
   B．不想调到外面工作
   C．可以偷偷地告诉小赵
   D．请小赵告诉别人

6. A．早上很热，所以王先生喝豆浆
   B．老王夫妇早上都要喝豆浆和牛奶
   C．早上王太太总是喝牛奶
   D．早上王先生总是喝牛奶

7. A．现在孩子没有上大学
   B．因为事故孩子不能上大学了
   C．孩子去年上大学了
   D．没有发生事故，孩子应该是大学生了

8. A．人情复杂，我们应该少跟人来往
   B．我们应该跟别人有一样的爱好
   C．人情复杂，我们要学会与人相处
   D．A和B

9. A．老王是个有趣的老人
   B．老王常常让别人觉得开心
   C．老王说的话非常有意思
   D．老王不喜欢笑

10. A．太太一直不想工作
    B．他的经济压力突然没有了
    C．两个人工作，多了很多负担
    D．两个人工作，他的负担没有以前重了

三、听对话，选择正确答案：

1. A．因为他们很爱对方
   B．因为他们是夫妻
   C．因为他们和别人不一样
   D．因为他们太老了

2. A．赵师傅想买饺子
   B．纯肉馅儿的不好吃
   C．赵师傅建议顾客买菜肉馅儿的
   D．菜肉馅儿的也没了

3. (1) A．王强忘了回家的路
B．王强回家晚了
C．王强太软弱
D．王强被调走了

(2) A．陈秘书叫他帮忙
B．老板叫他写报告
C．老板叫他买材料
D．陈秘书要交报告给他

(3) A．他身体不好
B．他心眼儿好
C．谁叫他都帮
D．没有勇气拒绝别人

(4) A．交报告的事
B．帮忙的事
C．公司人员调动的事
D．吃饭的事

(5) A．王强记忆力不太好
B．这天是王强的生日
C．下班晚了
D．这天是老太太的生日

笑一笑

一、根据内容回答问题：

1．王晓棠是做什么的？
2．《艺术人生》是哪个电视台的节目？
3．王晓棠说，遇到不开心的问题时，应该怎么办？
4．如果心理压力太大，身体会怎么样？

二、判断句子正误：

1．王晓棠的经验是，遇到问题时，不要坐下来，要笑一笑。（　　　）
2．笑表明有勇气面对困难。（　　　）
3．战胜困难的决心来自笑和哭。（　　　）
4．笑一笑可以使人平静地思考问题。（　　　）

三、选择正确答案：

1．A．成熟、自信
　B．放松、力量
　C．思考、解决
　D．A和B

2．A．世界多变
　B．人情复杂
　C．什么都不在乎
　D．什么都太认真

3．A．冷静
　B．着急
　C．认真
　D．冲动

4．A．笑是力量的兄弟
　B．处理问题应该冷静
　C．笑比哭好
　D．A和C

幽默两则

一、一词之师

一、根据内容回答问题：

1. 王小强为什么发愁？
2. 老师出的作文题目是什么？
3. 昨天王小强做什么了？
4. 昨天陈刚做什么了？

二、听后填空，看看王小强昨天真正做了什么事。

清晨我一__________就__________了半__________，想了想，干脆把剩下的半__________也__________了。可是，我还想__________，于是又去买了一__________。回来的路上，我遇上了陈刚。我一瞧他的眼神儿，就知道他也__________了不少__________。

二、记忆力

一、判断句子正误：

1. 王大妈想在床上吃早饭。（　　　）
2. 王大妈叫王大爷记住她的豆浆要放糖。（　　　）
3. 大约过了15分钟，王大爷回来了。（　　　）
4. 王大妈最爱吃纯白菜馅儿的饺子。（　　　）

二、选择正确答案：

1. A．豆浆和油条
   B．包子和桃儿
   C．白菜和油条
   D．豆浆和包子

2. A．豆浆
   B．油条
   C．桃儿
   D．包子

3. A．王大爷忘了买豆浆
   B．王大爷忘了买桃
   C．王大爷买的是纯肉馅儿包子
   D．王大爷忘了给她的豆浆放盐

4. A. 王大爷记忆力很好
   B. 王大妈记忆力很好
   C. 王大爷把东西写在了纸上
   D. 老王夫妇的记忆力都不好

讨论题:

1. 如果压力很大或者心情不好，你会做些什么？
2. 请介绍一个你喜欢的幽默故事。

第十五课

给咖啡加点儿盐、爱情等于五百棵果树

生词

1. 情景　qíngjǐng（名）scene, sight
2. 咸　xián（形）salted
3. 算是　suànshì（动）当做，作为
4. 必定　bìdìng（副）一定会这样
5. 临终　línzhōng　人将要死的时候
6. 娶　qǔ（动）男人把女人接来结婚
7. 委屈　wěiqū（动、形）受到不应该有的批评或对待，心里感到难受
8. 舍得　shěde（动）愿意让出来、放弃、牺牲
9. 嫁　jià（动）女人结婚
10. 丑　chǒu（形）ugly
11. 折磨　zhémó（动、名）在身体上或者在精神上受痛苦
12. 命　mìng（名）命运
13. 打架　dǎjià（动）to come to blows, to fight
14. 迫切　pòqiè（形）需要得很急
15. 宠爱　chǒng'ài（动）（上对下）非常喜爱
16. 口红　kǒuhóng（名）lipstick
17. 串　chuàn（量）string, bunch (measure word)
18. 荔枝　lìzhī（名）litchi
19. 皇后　huánghòu（名）皇帝的妻子
20. 养老　yǎnglǎo（动）给老人生活需要的吃的、用的或钱
21. 扑　pū（动）to throw oneself on, to pounce on
22. 怀　huái（名）bosom
23. 着想　zhuóxiǎng（动）（为某人或某事的利益）考虑
24. 老年　lǎonián（名）指六七十岁以上的年纪
25. 通俗　tōngsú（形）popular, common

专有名词

1. 安娜　　Ānnà　人名　Anna
2. 彼德　　Bǐdé　人名　Peter
3. 孙丽萍　Sūn Lìpíng　人名
4. 陈伟强　Chén Wěiqiáng　人名

语法点

1. 副词：竟然　　这么好的工作你竟然不喜欢。
2. 副词：万万　　我万万没想到这次考试我会不及格。
3. 副词：白　　你说也白说，他根本不会听你的。

精听部分

一、听句子，填空：

1. 当时的＿＿＿＿＿＿很让人感动，我一辈子都忘不了。
2. 今天中午的菜太＿＿＿＿＿＿了，下午我喝了很多水。
4. 相信我，只要你认真、努力，你的汉语水平＿＿＿＿＿＿会提高。
5. 没想到这儿的风景＿＿＿＿＿＿这么美。
6. 那个地方十分危险，你＿＿＿＿＿＿不能去。
7. 他＿＿＿＿＿＿了一个非常漂亮的姑娘做妻子。
8. 这个病＿＿＿＿＿＿了他很多年，他上过很多医院，吃了很多药都没效果。
9. 他希望出国留学的愿望非常＿＿＿＿＿＿，所以正在到处联系学校。
10. 小玲考试考了99分，爸爸还骂她，她觉得＿＿＿＿＿＿极了。
11. 这是我最喜欢的一本书，实在不＿＿＿＿＿＿送给你，你另外挑一本，行吗？
12. 那孩子一看见妈妈，就高兴地＿＿＿＿＿＿了过去。
13. 不要只想着自己，应该多为别人＿＿＿＿＿＿。
14. 昨天我上街想买点儿自己喜欢的小说和杂志，结果＿＿＿＿＿＿跑了一趟，什么都没有买到。
15. 这篇小说＿＿＿＿＿＿易懂，大家不妨读一读。

二、听句子，根据要求选择正确答案：

1. A. 这么长时间我第一次见到他
   B. 我以为他早就忘记了我们第一次见面的事情
   C. 我们很久没见面了
   D. 他过了很久才想起我

2. A. 我原来以为小林和小刘不可能结婚
   B. 小林是丈夫，小刘是妻子
   C. 小刘很漂亮，小林很难看
   D. 我早就知道他们会结婚

3. A. 出去看看
   B. 回家乡生活
   C. 回家乡看看
   D. 以上答案都不对

4. A. 小红在学校瘦了
   B. 小红心里很难受
   C. 妈妈看见小红哭了，就过来抱她
   D. 小红坐在妈妈旁边哭了好久

5. A. 要让老人感到方便
   B. 要为老人考虑
   C. 要从方便老年人的角度去设计
   D. 要让老年人多想想

6. A. 你不一定看得懂
   B. 你必须看懂
   C. 你一定看得懂
   D. 这本小说很难懂

7. A. 他病了20多年
   B. 人们原来以为他再也站不起来了
   C. 病痛让他痛苦了20多年
   D. 站起来让他非常痛苦

8. A. 我不愿意女儿离开我
   B. 我不许女儿出国
   C. 我坚持要让女儿出国
   D. 女儿认为出不出国都没关系

9. A. 小张戒烟了
   B. 小张和小王结婚了
   C. 小张是女的
   D. 小王一定要娶小张

10. A. 我是大学毕业生
    B. 那家公司急需一个大学毕业生
    C. 到那家公司工作对我来说是个好机会
    D. 其实我不想去那里工作

三、听对话，选择正确答案：

1. A. 老陈的孩子很多
   B. 老陈没有一个孩子
   C. 老陈的孩子不愿意照顾他
   D. A和C

2. A. 小赵喜欢吃咸的菜
   B. 小赵不肯换菜
   C. 小赵跟人打架了
   D. 小赵打了一个小孩儿

3. (1) A. 夫妇
B. 母子
C. 老同学
D. 哥哥和妹妹

(2) A. 王伟折磨他
B. 王伟老跟着她
C. 上天决定的
D. 对话中没提到

(3) A. 在国外生活
B. 在家乡养老
C. 去世了
D. 生病住在医院

(4) A. 不愿意离开孩子
B. 王伟生病需要照顾
C. 过着皇后一样的生活
D. A和B

(5) A. 过皇后一样的生活
B. 在家乡养老
C. 出国照顾孩子
D. 经常想念家乡

泛听部分

给咖啡加点儿盐

一、回答问题：

1．安娜和彼德第一次见面是在什么地方？
2．彼德请服务员拿什么？
3．彼德说他小时候住在什么地方？
4．海水的味道是怎么样的？
5．他们一起生活了多少年？

二、判断句子正误：

1．安娜一见彼德心里就很满意。（　　）
2．彼德跟安娜谈起了自己的故乡。（　　）
3．安娜认为想家的男人一定爱家。（　　）
4．其实彼德早就想好要在咖啡里放盐。（　　）
5．安娜并不认为丈夫欺骗了她。（　　）

三、选择正确答案：

1．A．家住在海边
B．老是在海里泡
C．在家喝咖啡时总是放盐
D．很久没回家了

2．A．因为她也想家
B．因为她认为彼德是个想家爱家的男人
C．因为彼德小时候生活很苦
D．因为她也是在海边长大的

3．A．因为他很怕安娜
B．因为他喜欢喝放盐的咖啡
C．因为他要去世了
D．因为怕安娜离开他

4．A．最大的幸福是娶到安娜
B．如果有下辈子还想娶安娜
C．不再怕安娜了
D．不想再喝放盐的咖啡了

5. A. 委屈
   B. 感动
   C. 伤心
   D. 失望

爱情等于五百棵果树

一、回答问题：

1. 陈师傅是做什么的?
2. 陈师傅长得怎么样?
3. 孙丽萍为什么能够忍受第一个丈夫的折磨?
4. 陈师傅为什么给孙丽萍种树?
5. 他们结婚几年后生的儿子?

二、判断句子正误：

1. 陈师傅比孙丽萍大 30 多岁。(　　　　)
2. 第一个丈夫希望孙丽萍生儿子。(　　　　)
3. 第一个丈夫死后，孙丽萍很想马上离开那个地方。(　　　　)
4. 孙丽萍的第一个丈夫是喝酒喝死的。(　　　　)
5. 陈师傅只给孙丽萍买口红和荔枝。(　　　　)

三、选择正确答案：

1. A. 她喝酒，丈夫就打他
   B. 生了女儿后，丈夫开始打她
   C. 她没过过一天好日子
   D. 她想改变自己的婚姻

2. A. 修鞋的时候
   B. 到城里玩儿时
   C. 喝酒的时候
   D. 别人介绍的

3. A. 经常给她买东西
   B. 挣钱给她养老
   C. 种树给她养老
   D. A、B和C

4. A. 没人为她考虑老年
   B. 非常感动

C．不知道什么叫爱情
D．白活了一辈子

5．A．因为他们觉得自己的婚姻很幸福
B．因为他们觉得自己不幸福
C．因为他们担心将来不幸福
D．A和C

讨论题：

1．有句话说："幸福的家庭都是一样的。"你同意这句话吗？请谈谈你对幸福家庭的理解。
2．请说出几件让你感觉幸福的事情。

第十六课

单元测试（二）

第一部分

1. A．他们引进了几千万外资
   B．他们引进了几百万外资
   C．他们想了很多办法来引进外资
   D．他们已经引进了很多外资

2. A．我不愿意给你电饭锅
   B．我妻子不愿意给你电饭锅
   C．我妈妈不让我给你电饭锅
   D．我妻子舍得给你电饭锅

3. A．他早知道自己没考好
   B．他原来以为自己考得很好
   C．考第五名对他来说是好成绩
   D．想不到他在一万个人里可以考第五名

4. A．身体好，能爬山
   B．是好人，老远地专门来看望她
   C．很好，出差顺便来看她
   D．眼睛好，看得特别远

5. A．气愤
   B．嘲笑
   C．伤心
   D．糊涂

6. A．多笑可以使人年轻
   B．少笑可以使人年轻
   C．笑十年可以使人年轻
   D．年轻人爱笑

7. A. 成了家的女人要回父母家
   B. 有女儿的女人要回父母家
   C. 在外地工作的女儿要回父母家
   D. 父母要去结了婚的女儿家

8. A. 小王忘记了妈妈的生日
   B. 小王不知道应该记住妈妈的生日
   C. 小王把妈妈的生日记在心里了
   D. 明天是小王妈妈的生日

9. A. 小赵老是不出门
   B. 小赵今天没有和妻子一起出门
   C. 小赵常常不和妻子一起出门
   D. 小赵常常和丈夫一起出门

10. A. 买豆浆
    B. 买包子
    C. 洗手
    D. 走走

11. A. 他现在非常生气
    B. 最好现在不要去跟他说
    C. 你再去找他说说看
    D. 等他没那么生气了再跟他说

12. A. 不要问陈秘书
    B. 问陈秘书不方便
    C. 不要把陈秘书调走
    D. 可以问陈秘书

13. A. 不要这么烦恼
    B. 皱眉头容易老
    C. 皱眉头女朋友会提出分手
    D. 和女朋友分手让人烦恼

14. A. 得冠军
    B. 得亚军
    C. 得第三名
    D. A或者B

15. A. 还有很久才毕业

B. 不应该毕业
C. 不愿意离开同学
D. 毕业了，同学们互相很想念

第二部分

16. A. 没有梨了
B. 梨的水分不多
C. 不想削皮
D. 只想喝两杯开水

17. A. 小赵喝酒了
B. 小赵正和人打架
C. 小赵打架进了医院
D. A和C

18. A. 他们成长背景不同
B. 他们现在在不同的地方生活
C. 他们喜欢吃的东西不一样
D. 他们的生活习惯有差异

19. A. 名牌的
B. 用电少的
C. 便宜的
D. 功能齐全的

20. A. 没有产量
B. 跟前三个月差不多
C. 比前三个月多
D. 比上个月少

21. A. 车上
B. 停车场
C. 标志牌下面
D. 电影院

22. A. 孩子们不好
B. 孩子们不想照顾她
C. 自己想回家乡生活
D. 不想为孩子们着想

23. A. 他妻子喜欢红色
    B. 他妻子很迷信
    C. 他相信穿红裤子可以赢
    D. 他喜欢红裤子

24. A. 你决定不了
    B. 你要参加团体赛
    C. 你不用参加团体赛
    D. 对话里没有提到

25. A. 早上睡觉
    B. 清晨学习
    C. 晚上学习
    D. 每晚看一本书

26. A. 他们一直在唱歌、跳舞
    B. 他们很不高兴
    C. 他们只唱歌，没跳舞
    D. 他们很气愤

27. A. 有七个朋友到他家玩儿
    B. 有几个朋友一起去他家玩儿
    C. 朋友们一个接一个地去他家玩儿
    D. 朋友们来帮他修门

28. A. 肖玲没有勇气离开丈夫
    B. 肖玲早就离开丈夫了
    C. 肖玲不想离开丈夫
    D. 肖玲身体不好，不能离开丈夫

29. A. 王刚考了几次第一名
    B. 王刚是优秀学生
    C. 王刚希望陈小花做他的女朋友
    D. 陈小花希望王刚考第三名

30. A. 很顽强
    B. 一直进攻
    C. 很被动
    D. 心理素质很好

31. A. 我们家乡好人长得好看
B. 故事里好人全部都很好看
C. 我们家乡眼睛不好的人长得丑
D. 故事里好人大多数都长得漂亮

32. A. 好看
B. 实用
C. 很贵
D. 耗电量不大

33. A. 是用废纸废布做的
B. 颜色很好看
C. 有民族特点
D. 很多人都说好

34. A. 小赵的压力太大了
B. 小赵应该做医生
C. 小赵最好找个新医生看病
D. 小赵的工作量应该减少

35. A. 一个星期不休息没什么
B. 不应该为了钱放弃健康
C. 七个星期不休息要小心身体
D. 几个星期不休息会累死

第三部分

36–37 题是根据下面这段话：

36. A. 对天文感兴趣
B. 学习天文很专心
C. 一点儿都不关心自己的妻子
D. 一点儿都不关心找女朋友的事

37. A. 肯定会结婚
B. 只想观察星星
C. 不一定要结婚
D. 结婚没有必要

38–40题是根据下面这段对话：

38. A. 丽萍愿意和她过年时去爬山
    B. 丽萍邀请她回家过年
    C. 丽萍给她做吃的东西
    D. 丽萍借给她照相机

39. A. 父母要到孩子身边
    B. 孩子要跟父母去爬山
    C. 父母要带孩子外出拜年
    D. 孩子要回到父母身边

40. A. 丽萍现在离家很远
    B. 丽萍会和安娜一起回家
    C. 中国各地过年的形式有很大差异
    D. 各地过年吃的东西不太一样

41–42题是根据下面这段话：

41. A. 顽强
    B. 冷静
    C. 被动
    D. 积极

42. A. 有5000多人观看决赛
    B. 王刚的优势是旋转球
    C. 比赛结果是4:2
    D. 赵强是广东队的

43–45题是根据下面这段对话：

43. A. 很会包饺子
    B. 不好看
    C. 年纪大
    D. B和C

44. A. 长得丑
    B. 爱吃
    C. 幽默
    D. 爱笑

45. A. 和小玲去吃饺子
B. 给小玲买饺子
C. 出差
D. 送人

46–47 题是根据下面这段话：

46. A. 吃完饭不要走
B. 吃完饭应该走一百步
C. 饭后散步可以长寿
D. 边吃边走可以活到 99 岁

47. A. 应该去环境好的地方散步
B. 散步可以让人心情舒畅
C. 散步时可以想问题
D. 快走比慢走好

48–50 题是根据下面这段对话：

48. A. 没买到电饭锅
B. 眉头老是皱着，很疼
C. 和人打架
D. 丢了钱包，但爸爸不相信

49. A. 钱包丢了
B. 钱被偷了
C. 认为女儿骗他
D. 女儿不肯说丢钱的原因

50. A. 小刘很委屈
B. 小刘不委屈
C. 小刘把钱花了
D. 钱被偷了是个借口

生词表

A

爱国主义 àiguózhǔyì 10

B

罢休 bàxiū（动） 13
白 bái（副） 15
白领 báilǐng（名） 5
摆脱 bǎituō（动） 7
拜 bài（动） 10
伴随 bànsuí（动、介） 14
报酬 bàochou（动、名） 5
背景 bèijǐng（名） 10
被动 bèidòng（形） 11
比方 bǐfang（名、动） 6
比分 bǐfēn（名） 11
彼此 bǐcǐ（代） 13
必定 bìdìng（副） 15
毕竟 bìjìng（副） 5
壁画 bìhuà（名） 3
标志 biāozhì（动） 12
并 bìng（副） 1
博士 bóshì（名） 6
不妨 bùfáng（副） 14
不光 bùguāng 4
不解 bùjiě（形） 13
不以为然 bùyǐwéirán 1

C

采集 cǎijí（动） 4
测试 cèshì（动、名） 6
层 céng（量） 11
差距 chājù（名） 5
差异 chāyì（名） 10
产地 chǎndì（名） 4
铲子 chǎnzi（名） 1
尝试 chángshì（动） 9
超级 chāojí（形） 12
嘲笑 cháoxiào（动） 9
车厢 chēxiāng（名） 7
彻底 chèdǐ（形） 6
池 chí（名、量） 1
充沛 chōngpèi（形） 6
冲击 chōngjī（名、动） 1
宠爱 chǒng'ài（动） 15
丑 chǒu（形） 15
出门 chūmén（动） 14
处于 chǔyú（动） 5
传播 chuánbō（动） 4
传说 chuánshuō（动、名） 10
串 chuàn（量） 15
串门 chuànmén（动） 13
窗帘 chuānglián（名） 2
创作 chuàngzuò（名、动） 2
垂 chuí（动） 6
纯 chún（形） 14
慈爱 cí'ài（形） 3
从容 cóngróng（形） 5
挫折 cuòzhé（名） 14

D

打架 dǎjià（动） 15
大都 dàdōu（副） 10
大脑 dànǎo（名） 6
大致 dàzhì（副） 10
大众 dàzhòng（形） 13
代价 dàijià（名） 5
带动 dàidòng（动） 12
当啷 dānglāng（象声词） 6
当中 dāngzhōng（名） 12
倒霉 dǎoméi（形） 7
得意 déyì（形） 9
地板 dìbǎn（名） 6

接连 jiēlián（副） 11
节气 jiéqì（名） 10
借口 jièkǒu（名） 13
金额 jīn'ér（名） 12
金属 jīnshǔ（名） 6
紧密 jǐnmì（形） 10
进攻 jìngōng（动） 11
进展 jìnzhǎn（动） 1
精力 jīnglì（名） 6
精美 jīngměi（形） 3
竞争 jìngzhēng（动、名） 5
竟然 jìngrán（副） 15
局 jú 11
巨大 jùdà（形） 1
聚会 jùhuì（名） 4
决赛 juésài（名） 11
绝 jué（副） 3

K

开水 kāishuǐ（名） 13
看起来 kànqǐlái 1
看中 kànzhòng 7
慷慨 kāngkǎi（形） 1
颗粒 kēlì（名） 11
空心 kōngxīn（形） 11
口红 kǒuhóng（名） 15
款式 kuǎnshì（名） 4

L

牢记 láojì（动） 9
老伴儿 lǎobànr（名） 14
老年 lǎonián（名） 15
老婆 lǎopo（名） 13
老头儿 lǎotóur（名） 14
乐趣 lèqù（名） 5
累计 lěijì（动） 5
冷静 lěngjìng（形） 12
理想 lǐxiǎng（名） 2
荔枝 lìzhī（名） 15
联合 liánhé（动） 11
廉价 liánjià（形） 4
良好 liánghǎo（形） 10
量 liàng（名） 13
临终 línzhōng 15
领会 lǐnghuì（动） 1
领先 lǐngxiān（动） 11
溜 liū（动） 7
龙舟 lóngzhōu（名） 10
炉子 lúzi（名） 4
旅途 lǚtú（名） 7

M

盲目 mángmù（形） 9
眉毛 méimao（名） 3
眉头 méitóu（名） 13
煤气灶 méiqìzào 13
美妙 měimiào（形） 4
迷信 míxìn（动、名） 10
秘书 mìshū（名） 12
面对 miànduì（动） 7
描绘 miáohuì（动） 3
民间 mínjiān（名） 10
明明 míngmíng（副） 9
命 mìng（名） 15
木塞 mùsāi（名） 11
目光 mùguāng（名） 7

N

男子 nánzǐ（名） 11
宁静 níngjìng（形） 14
农历 nónglì（名） 10

O

偶尔 ǒu'ěr（副） 6
偶然 ǒurán（副） 2

P

拍子 pāizi 11
泡 pào（动） 4
配 pèi（动） 4
疲倦 píjuàn（形） 6

Q

R

S

T

体温 tǐwēn（名） 5
天文 tiānwén（名） 10
调节 tiáojié（动） 5
通俗 tōngsú（形） 15
同步 tóngbù（形） 5
统一 tǒngyī（动） 10
投资 tóuzī 12
透露 tòulù（动） 14
突破 tūpò（动） 12
团体 tuántǐ（名） 11
推销 tuīxiāo（动） 7
脱离 tuōlí（动） 7

W

外商 wàishāng（名） 12
外资 wàizī（名） 12
玩具 wánjù（名） 1
玩意儿 wányìr（名） 1
顽强 wánqiáng（形） 11
万万 wànwàn（副） 15
往常 wǎngcháng（名） 13
委屈 wěiqū（动、形） 15
无聊 wúliáo（形） 7

X

牺牲 xīshēng（动） 9
膝盖 xīgài（名） 3
习俗 xísú（名） 10
鲜明 xiānmíng（形） 10
咸 xián（形） 15
显示 xiǎnshì（动） 6
现状 xiànzhuàng（名） 7
馅儿 xiànr（名） 14
相比 xiāngbǐ（动） 3
橡胶 xiàngjiāo 11
削 xiāo（动） 13
消除 xiāochú（动） 4
销路 xiāolù（名） 13
销售 xiāoshòu（名、动） 2
心事 xīnshì（名） 7
心态 xīntài（名） 14
心眼儿 xīnyǎnr（名） 14
兴旺 xīngwàng（形） 2
行驶 xíngshǐ（动） 7
形式 xíngshì（名） 10
形象 xíngxiàng（名） 2
凶猛 xiōngměng（形） 11
雄伟 xióngwěi（形） 3
休闲 xiūxián（形） 4
旋转 xuánzhuǎn 11
选手 xuǎnshǒu（名） 11
学科 xuékē（名） 3
学历 xuélì（名） 6
学位 xuéwèi（名） 6
学问 xuéwèn（名） 9

Y

亚军 yàjūn（名） 11
岩石 yánshí（名） 1
眼神儿 yǎnshénr（名） 14
洋洋得意 yángyángdéyì 5
养老 yǎnglǎo（动） 15
要不然 yàobùrán（连） 14
要么 yàome（副） 1
夜晚 yèwǎn（名） 13
一时 yìshí（副） 1
一系列 yíxìliè 12
一心一意 yìxīnyíyì 9
依照 yīzhào（介） 12
以便 yǐbiàn（连） 11
议论 yìlùn（动、名） 7
因素 yīnsù（名） 5
因特网 yīntèwǎng（名） 2
引进 yǐnjìn（动） 12
勇气 yǒngqì（名） 14
优势 yōushì（名） 11
幽默 yōumò（形） 14
油条 yóutiáo（名） 4
娱乐 yúlè（名） 4
与此同时 yǔcǐtóngshí 9
月饼 yuèbǐng（名） 10
运转 yùnzhuǎn（动） 5

Z

赞扬 zànyáng（动） 9
炸 zhá（动） 4
债 zhài（名） 6
战胜 zhànshèng（动） 14
遮 zhē（动） 2
折磨 zhémó（动、名） 15
针线活儿 zhēnxiànhuór（名） 2
证书 zhèngshū（名） 2
支付 zhīfù（动） 7
职员 zhíyuán（名） 5
至今 zhìjīn（副） 3
制作 zhìzuò（动） 2
中断 zhōngduàn（动） 3
种植 zhòngzhí（动） 4
周期 zhōuqī（名） 5
粥 zhōu（名） 4
皱 zhòu（动） 13
专 zhuān（形） 13
庄严 zhuāngyán（形） 3
准确 zhǔnquè（形） 4
着想 zhuóxiǎng（动） 15
自身 zìshēn（代） 9
宗教 zōngjiào（名） 3
总共 zǒnggòng（副） 3
粽子 zòngzi（名） 10
足 zú（形） 13
最终 zuìzhōng（副） 5
尊 zūn（量） 3

图书在版编目(CIP)数据
阶梯汉语．中级听力．练习册．第3册／周小兵主编．—北京：华语教学出版社，2004
ISBN 7-80200-023-8
I.阶… II.周… III.汉语—听说教学—对外汉语教学—习题 IV.H195.4
中国版本图书馆CIP数据核字（2004）第100568号

阶梯汉语·中级听力

(练习册·第3册)

丛书主编 周小兵

策划编辑：单 瑛
责任编辑：贾寅淮
封面设计：石 宏
印刷监制：佟汉冬

*

华语教学出版社出版
(中国北京百万庄路24号 邮政编码100037)
电话：(86) 10-68995871
传真：(86) 10-68326333
网址：www.sinolingua.com.cn
电子信箱：hyjx@sinolingua.com.cn
北京市松源印刷有限公司印刷
中国国际图书贸易总公司海外发行
(中国北京车公庄西路35号)
北京邮政信箱第399号 邮政编码100044
新华书店国内发行
2005年（大16开）第一版
（汉英）
ISBN 7-80200-023-8
9 − CE − 3632PC
定价：21.00元